ゆまに書房

書誌書目シリーズ126

諸字類集成

——小山田与清『群書捜索目録』Ⅴ——

第五巻

和名抄類字　上・下

〔監修・解題〕梅田　径

凡　例

一、本叢書は、国立国会図書館蔵『群書捜索目録』の中から、比較的小規模な語句・語彙索引八点一七冊を集成したものである。小山田与清編の古典籍索引『群書捜索目録』は、もともと水戸彰考館に所蔵されていた和書・漢籍・仏典の大規模な総合索引叢書であったが、原本は戦災で焼失した。その副本のごく一部が国立国会図書館に納められているに過ぎない。本叢書では、利用しやすいように『群書捜索目録』を再編集して復刻する。

一、本叢書の構成は、末尾に掲載した表の通りである。国立国会図書館では『群書捜索目録』全冊に通番を付しているが、復刻にあたってはその整理順を踏襲していない。

一、復刻に際し、各書の構造を反映した形で目次を付し、書名および見出し語について左の柱に、イロハ順の配列位置を右の柱を付した。各作品の解題は、第九巻の巻末に掲載した。また、書名については外題・扉題・内題より適切なものを選び、復刻上の統一書名とした。ただし、国立国会図書館の付した名称や番号を使用した場合がある。

一、本叢書においては、書名、人名等の漢字は、原則として通行字体に統一し、また人名、書名等も代表的なものに統一を試みた。

一、本書製作にあたっては国立国会図書館の許可のもと、新たに撮影されたデジタル画像を底本に利用した。

一、原本の書誌については解題に記した。字高などに配慮して適宜縮小や画像調整を施した場合がある。朱墨の別は濃度等で判断されうるものについては特に触れていない。

一、復刻の許可を賜った国立国会図書館、また原本の閲覧等で多く便宜を図ってくださった同古典籍資料室に御礼申し上げます。

〈全巻の構成〉

第一回（全五巻）

第一巻　「大八洲記標目」
第二巻　「八部字類抄　上」
　　　　「八部字類抄　中」
　　　　「八部字類抄　下」
第三巻　「色葉集字類」
　　　　「本草和名字類」
第四巻　「家筑三類語　上」
　　　　「家筑三類語　中」
　　　　「家筑三類語　下」
第五巻　「和名抄類字　上」
　　　　「和名抄類字　下」

第二回（全四巻）

第六巻　「令義解目録　一」
　　　　「令義解目録　二」
第七巻　「令義解目録　三」
　　　　「令義解目録　四」
第八巻　「歌学索引　一」
　　　　「歌学索引　二」
第九巻　「歌学索引　三」
　　　　＊解　題

第五巻　目次

和名抄類字　上

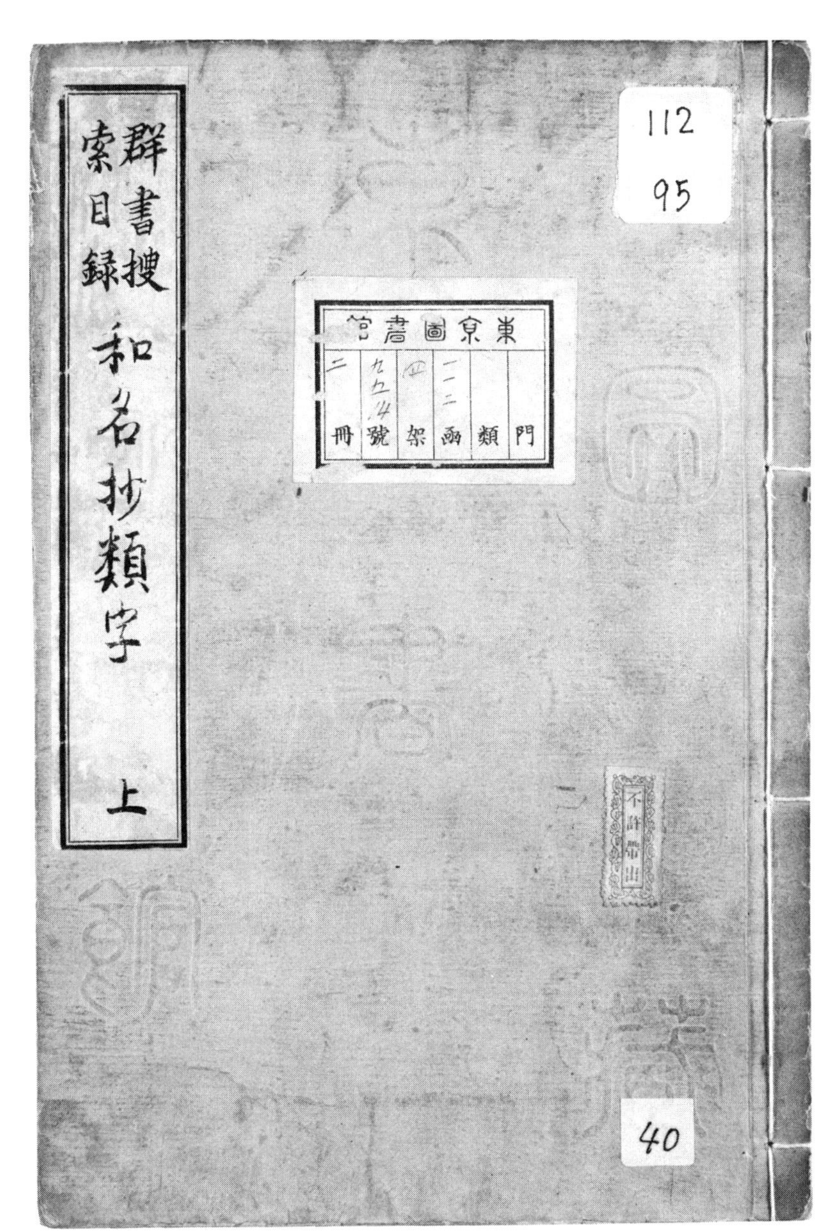

群書搜索目録
和名抄類字
上
112
95
東京圖書館
門
類
函
架
號
冊
不許帶出
40

和名抄類字

一

和名抄類字巻ノ一

明星　阿加保之　景宿部第一

天河　阿万乃加八　同

雨　阿女　雲雨部第二

霤　阿万之太利　同

嵐　阿良之　風雲部三

沫雪　阿和由伎　同

曠野　安良乃良　林野部第六

粟田　安八不　田園部第七
畔　阿世　同
滄溟　阿乎宇三波良　河海部第十
糞堆　阿久太布　塵土部第八
秋　歳時部第十四
天神　安万豆加之呂　鬼神部神異類第十六
現人神　安良比止加美　同
天探女　阿万佐久女　阿万乃佐久女　鬼魅部第十七
邪鬼　安之岐毛乃　同

總角 阿介万岐 老幼部第十九

髙人 阿岐比止 工商部第廿

白水郎 阿万 漁猟部第廿一

辺鄙 阿豆万豆 微賤部廿二

蚩眩 阿佐無岐加 加夜加須 同

遊女 阿曽比 乞盗部廿三

姉 阿祢 兄弟部第廿六

娅 阿比無古 姻戚部廿八

妯娌 阿比与女 同

顋含　阿古万　形体部　面類第三十

顋　阿古万　同

腭　阿岐　鼻口類第卅二

孔竅　阿奈　身体類第卅四

汗　阿勢　同

脂膏　阿布良　肌肉類第三十六

脚足　阿之　手足類第卅八

髖　阿波岐　同

跗　阿奈比良　同

蹠　阿奈宇良　同

清盲　阿岐之比　病類四十

喘息　阿倍岐　同

齞脣　阿比久知　同

脚気　阿之乃介　同

蹇　阿之奈閉　同

疝　阿太波良　同

瘚　阿之岐夜万比　同

瘜肉　阿万之ゝ　瘡類四十一

熱沸瘡　阿世毛　同

疵　阿佐　同

輝　阿加々利　同

射垜　阿無豆知　術藝部射藝具第四十三

四阿　阿豆万夜　居処部居宅類百卅六

亭　阿波良　同

安福殿　同

校倉　阿世久良　同倉廩条下

花瓦　阿布美加波良　居宅具百卅七

鎹　阿介賀須加比　門戸具百四十上

輠　阿不良都乃　車具百四十七

罾　阿美　同

騧馬　阿之布知　牛馬毛百四十九

黄騮　赤栗毛　同

赭黄馬　赤鴾毛　同

黄牛　阿米宇之　同

桃花　葦花毛之紅色者也　同

赤驃　赤鹿色　同

𩥭　赤毛馬也　口

赤𩥭　赤毛馬也赤𩥭山鳥ハ　口
赤毛馬也

承鐙肉　阿布美須利　牛馬体百五十

汗溝　阿世美蔵　日

銅　阿かゝ祢　金類百五十三

璞　阿良太ゝ万　玉類百五十四

悪肉散　薬百五十五

油　阿布良　燈火具百五十七

燈盞　阿布良都盞　燈火具百五十八

油瓶　阿布良加米　同

綾　阿夜　布帛部錦綾類百五十九

絁　阿之岐沼　絹布類百六十

紵布　阿佐沼乃　同

襖子　阿乎之　衣服百六十二

衵　阿古女岐沼　同

袷衣　阿波世乃岐沼　同

屐　阿師太　履襪類百六十七

屐系　阿之太乎　履襪具百六十八

閼伽　伽藍具百七十

葦索　阿之乃奈波　祭祀具中百七十二

鈦　阿之加之　刑罰具中百七十七

簣輿　阿美以太　刑罰具中百七十七

扇　阿布岐　服玩具百七十八

澤　阿布良和太　容飾具百八十

苞苴　阿良万岐　厨膳具百八十二

茜　阿加祢　染色具百八十四

赤莧　阿加比由　同

黄灰　阿加佐乃波比　同

澱　阿井之流　同

灰汁　阿久　同

淋　阿久太流　同

麻　阿佐　織機具百八十五

幄　阿計波利　屏障具百八十七

籧篨　阿无師路　同

胡床　阿久良　坐臥具百八十八

雨衣　阿万岐沼　行旅具百八十九

鐙　阿布美　鞍馬具百九十一

障泥　阿不利　同

攣　阿之手　鷹犬具百九十二

罘罳　阿美　畋獵具百九十三

網罟　阿美　漁釣具百九十四

椽擊　阿比　造作具百九十六

麻　阿奈々比　同

竹刀　阿手比衣　縫染具百九十九

横　阿良度　鍛冶具二百

青瘀　阿乎度　同

鼎　阿之賀奈倍　金器類百一

鐺　阿之奈倍　同

簣　阿自賀　竹器類二百五

釃　阿久　酒醴類二百六

饠粉　阿礼　飯餅類二百八

油飲　阿不良以比　同

飴　阿女　酥蜜類二百十

千歳虆汁　阿末豆良　同

羹　阿豆毛乃　菜羹部二百十一

炙　阿布利毛乃　魚鳥二百十二

膊　阿豆久利　同

臛　訓与羹同　同

塩梅　塩梅二百十三

白塩　阿和之保　同

蘭蒿　阿良々木　薑蒜二百十四

生薑　阿乃波之加美　同

糈　阿良毛土　米穀二百十八

粟　阿波　粟部二百十八
丹黍　阿加貫木ゝ美　同
粱米　阿波の宇留之稲　同
小豆　阿加安豆木　豆部二百十九
藊豆　阿知万女　同
鷃実　阿宇之知　菓部二百二十二
橙　阿倍太知波奈　同
青瓜　阿手宇利　蓏部二百廿三
蔔子　阿尓比　同

鳥蒜　阿佐豆木　葷菜類二百廿五
陟釐　阿乎乃利　海菜類二百廿六
神仙菜　阿末乃里　同
莕　阿佐々　水菜類二百廿七
蔓菁　阿乎奈　園菜類二百廿八
薊　阿佐美　同
葵　阿布比　同
藜　阿加佐　野菜類二百廿九
獦子鳥　阿止里　羽族名二百卅一

胡鷰　阿万止　同

距　阿古江　同体　二百卅二

𦁊毛　阿布良比伎　羽体　二百卅七

葦鹿　阿之加　毛羣名　二百卅四

水豹　阿左良之　同

鼯鼠　阿末久知祢須美　同

梳齒魚　阿波我良　鱗介部龍魚類　二百卅六

鯵　阿遅　同

鯖　阿乎佐波　同

鯇 阿末 同

鰔魚 阿散知 同

海糠魚 阿美 同

鰓 阿末止 龍魚体二百卅七

鮟鱇 阿依留 同

大辛螺 阿木 亀貝類二百卅八

鰒 阿波比 同

蟛螖 葦原蟹 同

赤卒 阿加恵無波 虫豸類二百四十一

馬陸　阿末比古　同

螟蛉　阿乎無之　同

青蝦蟇　阿乎加閉流　同

蛙黽　阿末加閉流　同

蠨蛸　阿之古和乃久毛　同

蝱　阿夫　同

桔梗　阿里乃比布木　草木部卅部二百四十二

紫陽花　安豆佐為　同

甘草　阿万木　同

牽牛子　阿佐加保　日
沢蘭　阿加末久佐　日
麻黄　阿万奈　日
地楡　阿夜女太無　日
亭歴子　阿之奈豆奈　日
昌蒲　阿夜女久佐　日
葦　阿之　日
葼　阿之豆乃　日
女葳蕤　阿麻奈　日

茈胡　阿末安加奈　同

沢蘭　阿加末久佐　同

漏蘆　阿利久佐　同

藎草　阿之井　同

麻黄　阿万奈　同

亭歴子　阿之奈豆奈　同

青葙　阿万久佐　同

白薇　阿末奈　同

女葳蕤　安麻奈　同

茺蔚 安波之木 同

漏蘆 安里久佐 同

防己 阿乎加豆良 葛類二百四十五

通草 阿介比加部長 同

山櫑 阿伊豆々之 木類二百四十八

檍 阿波木 同

梓 阿豆佐 同

楝 阿布智 同

英 阿太波豆 木具二百四十九

以

巔　以太々木　地部山谷第四

巌　以八保　同岩石第五

磐　以波　同

石　以之　同

鍾乳　以之乃知　同

砂　以左古　同

泉　同水泉第五

石清水　同

池　以介　日河海十

械　以比　日

雷公　伊加豆知　鬼神炅十六

電　伊奈比加利○伊奈（豆万乃伊奈豆流比）　日

窮鬼　伊岐須太〻万　日鬼魅十七

市郭児　伊知比止　人工商廿

漁子　伊乎止利　人漁獵廿一

母　伊呂波　親父母廿四

兄　伊呂祢　日兄弟廿六

妹　伊毛宇止　同

從父兄弟　伊止古　同

再從兄弟　伊夜伊止古　同

從母兄弟　同

姻兄弟　親姻婚廿八

後夫　伊万乃乎宇止　同夫妻廿九

姨　伊毛文字止女　同

頂顖　伊太〻岐　形頭面卅

雲脂　伊呂古　同

膇 伊 同藏府 卅七

陰 蔭也 同茎垂 卅九

兔缺 以久知 同病 四十

肬目 以比保 又以乎目 同瘡 四十一

痛 伊太之 同

弋射 以豆都 術藝部射 四十二

壹越調 ○壹弄樂 ○溢金樂

壹德塩 ○移都師 ○飲酒樂

已上音曲調 四十九

斎宮寮　伊豆岐乃美夜乃豆加佐　職官名　五十一

主神司　以豆岐乃美夜乃加美官　同

斎院司　以豆岐乃院乃官　同

家　伊閉　同

宅　同　同

営　伊保里　同

囷　伊奈久良　同

肆　伊知久良　同

窟　伊波夜　同

庵室　伊保　同
廬　伊保　同
甍　伊良賀　同具百卅七
石灰　以之波比　同牆具百卅九
石橋　以之波之　道具百四十三
艨艟　以久佐不祢　船類百四十四
桴筏　以加太　同
碇　伊加利　同具百四十五
嘶　以奈ゝゝ以波由　牛馬体百五十

委鶏散　伊止乃久都　菓百五十本

絲鞋　伊計途信　履百六十七

犠牲　以賀岐　祭百七十一

瑞籬　以太都岐　日

平題箭　以之波之岐　征百七十五

擔　伊度　日

絲　以度須知　蚕百八十六

線　以度乃布之　日

纇　日

倚子
菌
杏葉
欒
板
鎔
箄
署預粥
鵰

以知比
伊偈良
以介須
伊太
伊加太
以比之太美
以毛加由
以利毛乃

坐百八十八
行百八十九
鞍百九十一
漢百九十四
造百九十六
鍛二百
竹二百五
聚二百七
輿二百十二

稲　稲二百十五

五穀　以都々乃太奈豆毛乃　同

粒　伊奈豆比　米二百十六

香菜　以沼衣　麻二百廿

木蓮子　以太比　菜二百廿一

櫟子　以知比　同

櫟梂　以知比乃加佐　菓具二百廿二

覆盆子　以知古　蓏二百廿三

芋　以閉都以毛　芋二百廿四

蔌 以毛加良 一云以毛之 曰

海髪 以木須 海菜二百廿六

兇葵 以倍仁礼 野菜二百廿九

鴿 以倍八止 羽名二百卅一

鵤 伊加流加 曰

稲負鳥 以奈於保世度利 曰

鵂鶹 以比止与 曰

鵁鶄 伊微 曰

鼬鼠 以太知 毛名二百卅四

犬呂　伊奴乃太末比　日体二百卅五
魚　伊遠　鯡二百卅六
鰚鰰　伊流可　日
鮻　伊之毛知　日
鰯　以和之　日
鮔　伊師布之　日
鱗　以呂久都　俗云以呂古　龍魚体二百卅七
魚丁　以乎乃賀之良乃保祢　日
脬　以乎乃布江　日

秦亀　伊之加米　亀二百卅八
文蛤　伊太ゝ夜加比　同
貽貝　伊加比　同
烏賊　伊加　同
石蟹　以之加仁　同
烏賊墨　以加乃久呂美　亀体二百卅九
螳蜋　以保無之利　虫二百四十
螽蟖　以祢豆木古万呂　同
蚱蜢　以奈古万呂　同

赤蟻　伊比阿里　同
石蘚　以波久須利　草二百四十二
巻柏　伊波久美　一云伊波古介　同
羊桃　伊良々久佐　同
連翹　以多知久佐　一云以太知波勢　同
石葦　以波乃加波　一云以波久美　同
兎葵　以倍仁礼　同
虎杖　伊多止里　同
商陸　伊平須木　同

景天　伊岐久佐　同

葒草　伊沼多天　同

苛　伊良　同

蔓椒　伊多知波之加美　木高四千八

羊躑躅　以波都々之　同

宇

沫雨　宇太加太　天部雲雨第二

畝　宇祢　地田二

潮　宇之保　地水泉第九

海　宇三　日河海十

浦　宇良　日海涯岸十一

保食神　宇介毛知乃加美　鬼神十六

稲魂　宇介乃美太万 俗云宇加乃美太万　日

孕婦　宇不女　人男女十八

髫髪　宇奈為　同老幼 十九

遊女　宇加礼女　同乞丐 廿三

雲孫　　親子孫 廿七

後夫　宇波平　同夫妻 廿九

後妻　宇波奈利　同

項　宇奈之　形貌面 三十

齝　宇須波　同鼻口 三十二

腿　宇知阿波世　同身体 三十四

腕　宇天　同手足 卅八

癭卧　宇江不世利　同　病類下

漆瘡　宇流之加不礼　同　瘡類上

膿　宇美之留　同

疣　宇流無　同

騎射　宇末由美　術藝部　射類二

刑部省　宇多倍多々須都加佐　職官名類一

内蔵寮　宇知乃久良乃豆加佐　同

内匠寮　宇知乃多久美乃豆加佐　同

雅楽寮　宇多末比乃豆左　同

内膳司　宇知乃加之波天乃司　同

内舎人　宇知止祢利　同

内記　宇知乃之流須止加佐　同

温明殿　居宅 百卅六

台榭　宇天奈　同

無戸室　宇豆無呂　同

梁　宇都波利　同具 百卅七

梲　宇太知　同

浮橋　宇岐波之　道具 百四十三

査　宇岐々　舟百四十四
桊　牛乃波奈岐　車具百四十七
牛　宇之　牛馬百四十八
[illegible]騍　宇佐岐無麻　口
戴星馬　宇比太非能無麻　牛馬毛百四十九
鬣　宇太加美　口体百五十
欝金香　香百五十四
烏犀膏　薬百五十五
袍　宇倍乃岐沼　衣服百六十三

見出し	訓	注記
裲襠	宇知加介	日
袿	宇知岐	日
表衰	宇閉宇良	日具百六十四
磬	宇知奈良之	佛具百七十
團扇	宇知波	服玩百七十八
巾帒	亦乱匣	澡浴百八十一
灸函	宇流之奴利乃夜岐之留乃都奉	厨百八十二
鞍褥	宇波之岐	鞍百九十二
雲珠	宇須	日

鞶　宇波〻良於比　同

蔟蔡衡　宇波良具都和　同

馬刷　宇麻波太波大気　同

筌　宇倍　漁百九十四

泛子　宇介　同

馬把　宇麻久波　農百九十五

漆　宇流之　膠百九十九

疊子　宇流之沼利乃佐良　漆二百二

臼　宇須　木キ二百三

粇米　宇流之称　米　二百十六

欝實　宇久比須の岐乃美　菓　二百廿一

梅　宇女　同

瓜瓣　宇利乃佐称　蔬　二百廿三

馬莧　宇万比由　野菜　二百廿九

牛蒡　宇未不々岐　同

鸎　宇久比須　羽名　二百卅一

蜀水華　宇乃久曽　同体　二百卅二

兔　宇佐木　毛名　二百卅四

鼽　宇世留　同体二百卅五

魚　宇乎　鱗　二百卅六

細魚　宇留利古　同

鼈　宇美加米　亀　二百卅八

昊蠃子　宇仁　同

海蛤　宇無木乃加比　同

紫貝　宇万乃久保加　同

芒角　宇仁乃介　亀体二百卅九

守瓜　宇利波閑　虫　二百卌

独活　宇土　草二百四十二
升麻　宇古加久佐　同
夏枯草　宇流木　同
當帰　宇万世里　同
萹蓄　宇之久佐　同
青葙　宇末佐久　同
仙霊毗　宇無末奈　同
鱧腸草　宇末木古之　同
石龍蒭　宇之乃比太比祢　同

萍　宇木久佐　日

烏頭　日

恒山　宇久比須乃以比　木二百卌八

溲疏　宇豆木　日

江

江　衣　地河海十

瘧鬼　衣也美乃加美　鬼魅十七

肢體　衣太　形身体卅四

瘖　衣曽波良　同病卅

疫　衣夜美　同

瘧病　衣夜美　同

永観堂　永寧堂　延休堂

延禄堂　以上居宅百卅六

栈　衣都利　日具百卅七

蘆雚　日

鉛丹散　益多散　茉百五十五

烏帽子　装冠百六十一

燕支　畠百七十四

蚕簿　衣比良　蚕百八十六

朳　江布利　農百九十五

荏　衣　麻二百二十

昆布　衣比須女　海菜二百廿五

雀[illegible]　悦哉　羽名二百卅一

鱓魚　衣比　鱗二百卅六

鰕　衣比　同

龍膽　衣夜美久佐　草二百四十二

芍薬　衣比須久須里　同

决明　衣比須久佐　同

地楡　衣比須祢　同

紫葛　衣比加豆良　葛二百四十五

蒲萄　衣比加豆良乃美　同

梗　衣　本二百四十八

枝條　衣大　本具二百四十九

遠

丘　乎加　地山谷第四

岡　同　同

男　乎乃古　人男女十八

小女　乎止米　同

童女　同　同

専　乎左女　同老幼

童男　乎乃和良倍　同

覡　乎乃古加牟奈岐　同乞盗廿三

伯父　乎知　親伯叔廿五
叔父　同
伯母　乎波　同
叔母　同　同
阿叔母　同　同
甥　乎比　同兄弟廿六
男子　乎乃古　同子孫
夫　乎宇止　一云乎止古　同丈夫妻廿九
妾　乎無奈女　同

治部省　乎佐牟留都加佐　官名五十一

修理職　乎佐女豆久留豆加佐　同

牡瓦　乎加波良　居具百卅七

艇　乎夫祢　船百四十四

牡馬　乎万　牛馬百四十八

狼馬　乎之路能宇麻　牛馬毛百四十九

尾株　乎保祢　同体百五十

温泉丸　菜百五十五

麻鞋　乎久豆　履百六十七

箴　乎佐　織百八十五

麻　乎　日

尾鞱　尾依　鞍百九十一

媒鳥　乎度利　畋百九十三

斧　乎能　工百九十七

柲　乎乃々江　日

韋　乎之加波　膠百九十九

桶　乎計　木キ二百三

魥　乎佐之　魚二百十二

草蓳　乎和　野菜二百廿九

荇蓖　乎加土ゝ木　同

雄　乎土里　羽二百卅

鴛鴦　乎之　同名二百卅一

尾　乎　同体二百卅二

鞦　乎不佐　同

牡　乎介毛乃　毛二百卅三

獺　乎曽　同名二百卅四

艖魚　乎古之　鱗二百卅六

蛇　乎呂知　虫二百字

蚇蠖　乎岐無之　同

女郎花　乎美那閇之　草二百字三

荻　乎木　同

赤箭　乎止乎止之　同

朮　乎介良　同

楓　乎加豆良　木二百字八

茵芋　乎加豆ゝ之　同

加

暈　加左　天部星宿第一
霞　加須美　同雲雨第二
風　同風雪第三
澗　古晏反　地部山谷第四
浮石　加留以之　同岩石第五
桔槔　加李豆李為　同水泉九
河　加波　海河十
瀉　加太　同涯岸十

神　加美　鬼神神異 十六

霹靂　加美於豆　同

餓鬼　加岐　鬼鬼魅 十七

鍛冶　鍛冶訛之　人工商 廿

潛女　加豆岐米　人漁獵 廿一

獵師　加利比止　同

水手　同 微賤 廿二

織師　加知止利　同

巫覡　加多井　同

乞兒　加多井　同
海賊　同
父　加曽　親父母古日
首頭　加宇倍　形体頭西云
頭　加之良　同
顱　加之良乃加波良　同
顴　加波知　同
髪際　加美岐波　同
雲脂　加之良乃安加　同

顏面　加保波世　同

脈　同

毫毛　同毛髮卅三

鬢髮　加美　同

髟皮　加美乃祢　同

髭鬚　加美豆比介　同

髑髏　加太々乃保祢　同身体

肩　加太々　同

胛　加伊加祢　同

脇肋　加太波良保祢　同

缺盆骨　加太乃保祢　同筋骨三十五

肌　加波倍　肌肉三十六

皮　賀波　同

轉筋　加良須奈倍利　同病四十

癥瘕　加女波良　同

痟瘍　加知乃也万比　同

瘡　加佐　同瘡四十一

瘢　加佐度古呂　同

痂　加佐布太　同

瘑　加太称　同

瘍　加之良乃加佐　同

禿　加不路　同

飼面　加須毛　同

風瘙胗　加佐保路之　同

癢　加由之　同

歩誇　加知由美　術藝部射藝四十二

櫻蒲　加利宇知　同雑藝　四十四

櫛倒　加倍利宇都　日

樗蒲采　加利　日具四十本

摴頭花　賀佐之　日

鞨鼓　音曷　音鐘四十六

皇帝破陣樂　日曲　四十九

賀殿　河水樂　音曲四十九

長官　伯　卿　尹　大夫

頭　正　奉膳　首

大將　督　尚侍　帥

将軍　守　大領　令　已上　加美

職名　五十　音曲　四十九

加美豆加佐　官名　五十一

神祇官　加牟毛利乃豆佐　日

掃部寮　加美奈利乃豆保　居宅　百卅六

龍芳舎

含章堂　康楽堂　高陽院

含嘉堂

厠　加波夜　日

尾　加波良　日具百卅七

窯　加波良架　日

裲柖　加佐礼岁乃岐乃須介　日

篇子　格子　日

鴨柄　賀毛江　日

垣墻　加岐　日

椳　加久布　日墻百卅八

壁　加閉　日

門　加度　日門戸百四十

門舎　加度夜　日

鑰　門乃加岐　同門戸具百四十一

鉤題　加良加岐　同

間道　賀久礼美知　道路百四十二

梯　加介波之　同具百四十三

雁歯　同

舭　加比路久　舟百四十四

棹　加伊　舟具百四十五

櫼　加遅　同

牂牁　加之　同

釭　加利毛　本具六百四十七

騧馬　鹿毛　牛馬毛百四十九

騮　同　同

駱　川原毛　同

駂馬　糟毛馬　同

鐵屎　賀祢久曽　宝貨百五十二

鐵精　加祢乃佐比　同

艾納香　甘松　甲香　香嚢　香百五十四

膏藥　甘草膏　乾薑丸　厚朴丸

甘艸丸　蜀椒丸　干薑散　薬百五十五

寒食散　厚朴湯　梁米湯

厚朴煎　甘艸湯

蚊火　加夜利比　燈百五十六

竈　加万　日忌百五十八

綺　加無波太　布錦百五十九

夾纈　加宇介知　日

縑　加止利　日

冠　加宇布利　装冠百六十一

簪　加無左之　同具百六十二

櫛鬢㕞　賀美加岐　同

汗衫　　衣服百六十三

背子　加良岐沼　同

裘　加波古路毛一云加波岐沼　同

布衣袴　加利岐沼　同

襲　加佐祢　同具百六十四

革　　腰百六十五

縧帯　加良久美　同

鉸具
高座
香炉
剃刀
鹿杖
紙銭
粿米
紙
曹

加古
加美賀利
加勢布恵
加美勢流
加之与祢
加美
加布度

同具百六十六
伽 百七十
傍具百七十一
同
同
紫 百七十二
同
文 百七十三
征百七十五

小刀　加太奈　同

鉗　加奈岐　刑　百七十七

鋏　加奈保左之　同

鏁　賀奈都賀利　同

權衡　加良波可利　称　百七十九

合　同

鏡　加々美　容飾　百八十

鏡臺　加々美加介　同

鬘　加都良　同

厳具　賀良玖師介　日

匙〻　賀比　厨百八十二

碓　加良宇須　裁百八十三

楧　加古岐　日

黄草　加比奈　滌百八十四

苧　加良無之　織百八十五

蠶　加比　蚕百八十六

帷　加太比良　屏百八十七

行障　日

甑　賀之　炊百八十八

樏子　加礼比計　行百八十九

餉　加礼比能久留　〃

笠　加佐　〃

横首杖　加世都恵　〃

鐵杖　加奈都恵　〃

琀　葬百九十

香輿　香乃古之　〃

门燎　门火　〃

鷮　賀礼比都気　獣百九十一

菊　賀良久佐　同

罟索　加乃宇波　同

稗　加良須波　農百九十五

鍬　加奈加波　同

鎌　加末　同

桐　加万都加　同

連枷　加良佐乎　農百九十八

鋺　加奈布久之　造百九十二

鐁　賀奈　工百九十七
鐵鋌　賀奈都江　同
刀子　賀太奈　剣百九十八
鉁　加布良悪利　同
和炭　加知須美　鍛二百
鎚　同
銕鉗　加奈波之　同
銕碪　加奈之岐　同
釜　加奈閉　鹽釜二百一

鍋　加奈々閉　同

金椀　賀奈万利　同

合子　漆二百二

碓　賀良宇須　木キ二百三

瓶子　加米　瓦二百四

笭箸　賀太美　竹二百五

篝　賀々里　同

醅　加須古女　酒二百六

醇酒　加太佐介　同

糟　加須　同
饘　加太加由　粥二百七
餐饋　加太加之木乃以比　飯二百八
飦飯　加之木加天　同
餉　加礼比飯俗云加礼比　同
餢　賀留　同
結果　加久乃阿和　同
餲餅　同
麹　加無太知　麹二百九

粮　加天　日
腴　加須毛美　奥二百十二
煎汁　賀手以呂利　塩二百十三
芥　加良之　菫二百十四
糙　加知之祢　稲二百十五
大麥　加知加太　麦二百十七
穬麦　加良須年岐　日
柑子　加無之　菓二百廿一
榧子　加倍　日

杏子　加良毛々　同

棕子　加良奈之　同

柹　加岐　同

李衡　加無之乃佐祢　菓具二百廿二

寒瓜　加豆宇利　蓏二百廿二

冬瓜　加毛宇利　同

未滑海藻　加知女　海菜二百廿六

水苔　加波奈　水菜二百廿七

骨蓬　加波保祢　同

蔓菁根　加布良　園菜二百廿七

辛菜　賀良之　同

鵠　加閉流　羽族二百三十

卵　加比古　同

孵　加倍流　同

撫摩　加太加閉利　同名二百卅一

覚加賀鳥　加久加乃止利　同

烏　加良須　同

鷃　加夜久木　同

鴻雁　加利　曰

鴨　加毛　曰

鵝　曰

鸊　加伊豆米　曰

鴎　加毛女　曰

嚇　加ゝ古久　曰体言也

鵰　加伊豆里　曰

鴨通　加毛乃久曽　曰

杯

毛名二百卅四

鹿　加　同

麑　加古　同

麢羊　加万之々　同

鹿茸　加乃和加豆乃　毛体二百卅五

鰹魚　加豆乎　鱓 二百卅六

王餘魚　加礼比　同

鰝魚　加世佐波　同

鯛魚　加良加古　同

鮇　加未豆　同

亀　加米　亀二百卅八

鼇亀　加波加米　同

石陰子　加世　同

寄居子　加美奈　同

蠣　加木　同

擁劔　加散女　同

貝鮹　加比太古　同

蟹　加仁　同

貝　殻同　加比　亀体二百卅九

沙嚢　加仁乃毛乃波美　曰

蚖蛇　加良須信云　虫二百四十

蝙蝠　加波保里　曰

蜻蛉　加介呂布　曰

鬈髪虫　加美木里無之　曰

烏毛虫　加波無し　曰

蝸牛　加太豆不利　曰

寒蜩　加無世美　曰

蚕　賀比古　曰

草蛭　加佐比流　同

白頸蚯蚓　加布良美々須　同

蝦蟇　賀閇流　同

蚊　加　同

蠓蠛　加豆乎無之　同

菊　加波良与毛木　一云加波良於波岐　草二百四十二

赤箭　加美乃夜加良　同

黄連　加久末久佐　同

人参　加乃仁介久佐　同

女青　加波祢久佐　同

草麻　加良可之波　一云加良衣　同

若芙　加万奈　一云加美於豆之奈　同

藎草　加奈木　同

麻黄　加豆祢久佐　同

三白草　加多之呂久佐　同

白芷　加佐毛知　同

栝樓　加良須宇利　同

射干　加良須安布木　同

酢醬　加多波美　同

白蒿　加波良与毛岐　同

茺蘭　加々美　同

王不留行　加佐久佐　同

萱　加夜　同

由跋　加木豆波奈　同

蒲　加末　同

蒲黄　加末乃波奈　同

劇草　加木豆波太　同

蘧　蓮二百四十四

菡萏　同

皂莢　加波良布知　葛二百四十五

筥竹　竹二百

箬竹　加波多計　同

柏　加閉　木二百四十八

水楊　加波夜奈木　同

呉茱萸　加波々之加美　同

橿　加之　同

穀　加知　同
衛矛　加波久未豆々良　同
賣子木　賀波知佐乃木　同
鶏冠木　賀倍天乃木、○賀比畄提乃木　同
槲　加之波　同
枳椇　加良大丶知　同
櫞　加布知　同
幹　加良　木具二百卌九
樺　加仁波 ○加波　同

起

霧　岐利　天部雲雨第二

涯岸　岐之　地涯岸十一

頤車　岐保祢　形頭面三十

牙　岐波　同鼻口卅二

肝　岐毛　同毛髪卅七

踵　岐比須　同手足卅八

顙齗　同病四十

黄疸　岐波無夜万比　同

痍　岐須　同瘡　四十一

痕　岐波　同

兕觝頭　同

碁子　術雜具　四十五

毬杖　同

琴　音琴　四十七

玉樹後庭花　同曲　四十九

淑景舎　岐利豆保　居処部居宅　百卅六

常寧殿　岐佐岐万知

綺綾殿　宣耀殿　輝章堂　日

琉琳 求林二音　宝玉部第十三

雲母 岐良ゝ　日

金膏丹　金液丹　凝階積雪丹

耆婆膏　芎藭膏　棄医丸

玉壺丸　菊花散　杏人湯

杏人煎　杏人丸　已上　薬部第十五

葵根湯　橘皮丸　日

絹 岐沼　布帛部第十六

奴袴　岐奴乃加利八加万　衣服　百六十三

裾　岐沼乃之利　同具　百六十四

金隠起帯　金銅帯　腰　百六十五

魚袋　同具　百六十六

錦鞋　今闌　履　百六十七

靴鞋　同

木履　紀具都　同

經藏　伽具　百七十

蓋　岐沼加散　同

華蓋　岐沼加散　服玩　百七十八
砧　岐沼伊太　裁　百八十三
碪　同　同
蘗　岐波太　染　百八十四
几帳　屏　百八十七
杏葉　行衣布　鞍　百九十一
金鑁　同
攣　岐豆奈　在鷹阿之乎　在犬岐豆奈　鷹犬　百九十三
綜　岐豆太奈　同

錯　岐利久末　造　百九十六

栓　岐及木　同

錐　岐利　剣　百九十八

金銀薄　膠　百九十九

杵　岐祢　木器　二百三

茶併　岐之流　同

魚頭　魚　二百十二

腊　木多比　同

橘皮　木加波　薑　二百十四

秫　木美乃毛智　粟二百十八

甘皮　木加波　菓具二百廿二

黄瓤　木宇利　蓏二百廿三

胡瓜　木宇利　同

葱　紀　葷二百廿六

葵　木乃美々　野菜二百廿九

牛蒡　岐太々岐須　同

雉　木々須　一云木之　羽名二百卅一

象　岐佐　毛名二百卅四

麒麟　其都　同
狐　木豆祢　同
虬竜　球　鱗二百卅六
蚶　木佐　亀二百卅八
胡黎　木悪無波　虫二百四十
螻蛄　木里木里須　同
蛾虱　木佐々　同
金銭花　草二百四十二
蕣　木波知須　同

標　木佐　木二百四十八

梧桐　木里　曰

半天河　木乃宇豆保乃見豆　木具二百四十九

久

雲　久毛　天部星宿部一

岫　久木　地部山谷部四

潛石　同岩石部五

畔　久呂　同田部七

塍　久呂　同

壚　久呂豆千　同塵部八

涅　久利　同

地神　久迩豆夜之呂　歳時神異部十六

地祇　久尓豆加三　日

医　久須之　人工高 二十

龝人　久和止利　八微賤 廿二

群盗　人乞盗 廿三

外姪　音　久比　親兄弟 廿六

外孫　日　日子孫 廿七

頸　久比　形頸面 三十

縣　久呂万奈古　同耳目 卅一

口　日鼻口 卅二

唇吻　上久知比留 下久知佐岐良　同

胃　久曽和太布久呂　同形骸府 卅七

踵　久比須　同手足 卅八

屎　久曽　同茎垂 卅九

喎僻　久知由加無　病 四十

瘌　久曽比理乃夜万比　同

皯　久路久佐　同瘡 四十一

胗　久智比々　同

闘草　久佐阿波世　術雜藝 四十四

傀儡子　久ゝ豆　日具　四十五

腰鼓　久礼豆ゝ美　音鏡　四十六

箜篌　日琴　四十七

官掌　官掌　職名　五十

医　久須之　日

典薬寮　久須理乃豆加佐

勧学院　観徳堂　学官院　居宅　百卌六

倉檄　久良乃和　日

厨　久利夜　同
檐　久佐久良　同
蹄尾　久都加太　同
閾木　毋久乃木　門戸具百四十五
鑠　花鑰　同
車　久留万　車百四十六
輫　車乃度古　同具百四十七
軾　車乃度之岐美　同
軛　久比岐　同

轄　久佐比　同

車簾　同

鞇　車乃之度袮　同

[illegible]旋　久比於保比　同

青驪馬　久路美度利能宇方　牛馬毛百四十九

烏騮　黒鹿毛　同

紫騮　黒栗毛　同

紫馬　栗毛　同

驪馬　黒毛馬　同

沙洛馬　黒川原毛　同

排鞦肉　久良於岐度古路　同伴五十

鳥頭　久波由岐　同

蟠蹝　久比　同痛百五十一

銕　久路加称　室一金百五十二（宝〃）

銕落　久路加称乃波太　同

琥珀　久波久　同玉百五十三

芸香　久佐乃香　香百五十四

薫陸　君禄　同

槐皮膏　丸虫丸　恒山丸
槐子丸　枸杞散　瞿麦湯
救命湯　還魂湯　九蟄湯
枸杞煎　薬百五十五
竈　久度　燈竈百五十八
裙帯　衣服百六十三
履　久之　履百六十七
屐屧　久都々計の阿之太　同
履楦　久都加太　同具百六十八

履屧　久都乃之岐　同

靴甀　靴帯　久都和良　同

箜篌　空古　佛百廿九

花鬘　伽百七十

火舍　俗云化頗　同

蒻昊　久散比度加太　祭百七十二

葉椀　久保手　同

糈米　久万之称　同

空青　畫百七十四

小角　久太能布江　征百七十五
盤枷　久比加之　刑百七十七
綬　久美　服玩百七十八
櫛・　久之　容百八十
梔子　久知奈之　染百八十四
紅藍　呉ー　紅花　久礼乃阿井　〃
臥機　久豆比岐　織百八十五
維筝　久太　〃
桑蚕　久波万由　蚕百八十六

桑柘　上久波下都美　同
絛車　久流　同
反轉　久流閉枳　同
牙床　久礼度古　坐臥百八十八
鞍　久良　鞍馬百九十一
鞁　久良於比　同
鉫　久良於岐須　同
鞍橋　久良保祢　同
鞍褥　久良之岐　同

鞍帊　久良於保比　同

藨　（文久都波美　久々美）　同

俸　久佐利　同

蚪蘿　久佐岐利　同

鋂　久佐利　靡百九十三

犬枷　久比都奈　同

弶　久比尓　畋百九十三

𦓡　久波利　同

犂　久波　農百九十五

剗　久之路　同

巳竹籠　久豆古　同

釘　久岐　造百九十六

杙　久比　同

椓　久比宇都　同

榑　久礼　同

鵤　玖之利　刻百九十八

餻　久佐毛知比　飯二百八

觀喜團　同

薹　久々太知　菜二百十一

黒塩　塩梅二百十三

豉　久木　口

生薑　久礼乃波之加美　薑二百十四

胡桃　久流美　口

蕎麦　久呂無木　麦二百十七

黒黍　久呂木々美　粟二百十八

烏豆　久呂末女　豆二百十九

菓　久多毛乃　菓二百廿一

菰　久佐久太毛乃　同

栗子　久利　同

胡頽子　久美　同

栗扶　久利乃之不　菓二百廿二

栗刺　久利乃以加　同

烏芋　久和井　芋二百廿四

葷菜　久佐比良　葷二百廿五

薑　久礼乃波之加美　園菜二百廿八

鬼皂莢　久ゝ散　野菜二百廿九

孔雀　宮尺　羽名二百卅一
角鷹　久万太和　同
鵟　久曽止比　同
鼀鳥　久比奈　同
鵠　久々比　同
鵁　久呂止里　同
觜　久知波之　同体二百卅二
喙　久知佐木　同
熊　久万　毛名二百卅四

麞　久之加　日
野猪　久佐井奈岐　日
熊白　久万乃阿布良　毛群二百卅五
蹯　熊掌　日
鯨鯢　久知良　鱗二百卅六
烏魚　久呂太比　日
鮸　久智　日
海月　久良介　亀二百卅八
蛇　久知奈波　虫二百四十

蝟　久佐布　同
蛣蜋　久曽無之　同
蛁蟟　久豆〻保字之　同
蜘蛛　久毛　同
草　久佐　草二百四十二
芸　久佐乃香　同
人参　久未乃伊　同
漏蘆　久曽久佐　同
大青　久流久佐　同

白薇　久呂久佐　同
苦参　久良々　同
懐香　久礼乃於毛　同
莎草　具々　同
葛　久須加豆良乃実　葛二百四十五
馬鞭草　久末豆々良　同
細子草　久曽加豆良　同
箭竹　久礼太介　竹二百四十六
黒柹　久呂加木　木二百四十八

桑　久波　日
杓杞　久古　日
釣樟　久沼木　日
備矛　久曽末由美　日
罗漆　久佐木　日
恒山　久佐木乃祢　日
楠　久須乃木　日
桊樹　久沼木　日
株　久比世　木具二百四十九

茎　久木　日

計

凝水石　地部岩石第五

玄石　同

阮咸　音樂四十七

校書殿　顕章堂　顕陽堂　居宅百卅六

懸魚　同具百卅七

桁　計太　同

鷄舌香　香　百五十四

玄黄丹　雞距丸　牽馬丸
桂子丸　桂心散　雞舌散
桂心湯　玄龍湯　決明散
決明丸
菜百五十五
烟　不布利
燐　介布太之　燈具百五十七
日
鉉子　腰帯具百六十六
靴　化乃久都　履百六十七
袈裟　介佐　僧百七十一

釵		征百七十五
鑷子	計沼岐	容百八十
梳	介都留	同
枲	不無之	織百八十五
笥	計	木器二百三
獸	介毛乃	毛二百卅三
畜	不大〻毛乃	同
獸產		同
牙		毛体二百卅五

螻蛄

介良

虫二百四十

古

霡霂　古佐女　天部雲雨第二

微風　古加世　同風雪第三

水田　古奈太　地田第十

泥　古比千　同塵八

氷　古保利　同泉九

樹神　古大万　鬼神類十六

木魅　山鬼　古大〻万　同鬼魅十七

兄　古乃加美　親兄第廿六

子　同子孫　廿七

昆孫　同

婚姻　同婚姻　廿八

婚兄弟　同

兄公　叔　同夫妻　廿九

女公　女妹　同

前妻　同

蟀谷　形頭面　三十

水腹　同身体　三十四

腰　古之　同
細腰支　古之吹勢　同
骼　古之保祢　同筋骨三十五
心　同蔵府
拳　古不之　手足卅八
季指　古於与比　同
腓　古無良　同
吃　古度々毛利　同病四十
嘶咽　古路々久　同

喉痺　古比　同

轉筋　古無良加倍利　同

𨗈　古比　同

失意　古々路万止比　同

瘜肉　古久美　同瘡 四十一

囲碁　五　術雑藝 四十四

相𣘻　古布之宇知　同

碁局　子半　同具 四十五

独楽　古末都久利　同

琴弦　古止乃手　音琴　四十七

籥　古万布江　同管　四十八

胡飲酒　同曲　四十九

木工寮　古多久美乃豆加左　職官名　五十一

弘文院　後涼殿　弘徽殿　居宅　百卅六

櫓　古之　同

助鋪　古衣　同

甲倉　古不久良　居宅　百卅六

璫　古々利　同具　百卅七

𣘸　巾子形　門戸具百四十一

徹道　古多字　道路百四十二

牽　古之　車百四十六

轂　車乃古之岐　日具百四十七

犢牛　古宇之　牛馬百四十八

特牛　古度比　日

犳　古万　日

牛角　古都能　日体百五十

金

銃　古加祢　宝金百五十二

金屑　古加祢乃須利久都　同
琨瑶　昆邉二音　玉百五十三
琥珀　同
牛頭香　香百五十四
五黄膏　胡粉膏　五味膏
胡椒丸　昆布丸　胡麻丸
牛膍散　五痔散　五香湯
五木湯　骨填煎　菓百五十五
縠　古女　布錦百五十九

巾子　古曽巾音如渾　冠具百六十二

袷　古呂毛乃久比　衣具百六十四

被　古呂毛乃和岐　同

裾　古呂毛乃須曽　同

金堂　講堂　伽藍百七十

金銚　僧具百七十一

暦　古與美　久百七十三

金青　尚百七十四

胡粉　同

葫蘆　胡鹿二音　佰百七十五

斛　稼百七十九

蚕　古加比須　蚕百八十六

蚕沙　古久曽　同

薦　古毛　坐百八十八

帊幞　古呂毛都々美　行百八十九

杴　古須岐　農百九十五

泥鏝　古天　造百九十六

柹　古介良　同

金漆 古之阿布良 膠百九十九

錯 古須利 曰

鏊 五到反 金黑二百一

甑 古之岐 木黑二百三

甑帶 古之岐和良 曰

籠 古 竹二百五

醴 古佐介 酒二百六

白飲 古美都 漿二百七

強飯 古八伊比 飯二百八

餛飩　渾屯二音　日
粉　古　麹二百九
寒　古与之毛乃　魚二百十二
餗　古奈加木　日
辛夷　古不之波之加美　薑二百十四
胡荽　古仁之　日
糈　古米依木　米二百十六
小麦　古牟岐　麦二百十七
麩　古牟岐乃加須　日

胡麻　五万　麻二百二十

菓蓏　古乃美　菓二百二十一

獼猴桃　古久波　同

小蒜　古比流　芋二百廿五

大凝菜　古々呂布止　海菜二百廿六

石蒓　古毛　同

温菘　古保祢　園菜二百廿八

蒟蒻　古迩夜久　同

龍葵　古奈須比　野菜二百廿九

鷲　古和之　和名二百卅一
老鵚　古乃里　同
鵠　古布　同
寒鴟　古伊太流止比　羽体二百卅二
鰓　古豆乃　毛体二百卅五
鮠魚　古都乎　鱗二百卅六
鰂　古乃之呂　同
韶陽魚　古米　同
鯉　古比　同

魦　沙魚　同

据亀　古加米　亀貝二百卅八

海鼠　古　同

甲　古布　亀体二百卅九

蜻蛚　古保呂木　虫二百卅

紺蝶　同

狼牙　古末豆奈岐　草二百卅一

菰　古毛　同

菰首　古毛布豆呂　一云古毛豆乃　同

苔　古介　苔類二百四十三

金漆樹　許師阿布良能紀　木二百四十八

樹梢　古須恵　木具二百四十九

樸　古波太　同

左

語	訓	所在
坂嶝	左加	地部山谷第四
細石	佐々礼以之	地石第五
澤	左八	同林木第六
沙渚	左々良奈三	同水泉第九
道祖	佐倍乃加美	鬼神具第十六
幸魂	佐岐美太万 俗云佐岐太万	同
相工		人工商二十
榜	佐乎	同微賤廿二

月水　伎波利　形基無三千九
嚔嚏　伎久利　口病甲
酗酒　伎加々理　口
懸　伎賀利布須倍　口瘡甲上
蔵鉤　術雜藝甲千四
尺八　音管甲千八
雙皐麗　沙陀調曲　曹婆筅
双調曲　催馬楽　挟轡河
相失情　散手破陣楽　散金打毬楽

山鷓胡曲　曹娘褌脱　音曲四十九

佐官　史　録　疏　主典　属　令史　物曹

志　典　軍曹　目　主張　書史

皆佐官　職名五十

造酒司　佐希乃司　日官名五十一

蒼龍楼　造紙楼　居宅百卅六

杈首　佐須　日具百卅七

棚　音索　日墻百卅九

門閫　佐度乃加止　日門戸百四十

檣　伎手　舟具百四十四

珊瑚　删胡二音　宝玉百五十三

犀角膏　犀角丸　細辛丸

殺鬼丸　皂角散　細辛散

犀角湯　三拂湯　薬百五十五

貲布　佐与美乃沼[illegible]　布帛百六十

奴袴　佐師奴枳乃波賀万　衣服百六十三

草履　佐宇利　履百六十七

三鈷　僧百七十上

三衣匣　佐無江乃波古　同

座具　同

龍眼木　佐加木　菓百七十二

笊　佐之綫　文百七十三

簸皮　佐女乃加波　弓百七十六

箚鞘　佐夜　同

百刺櫛　佐之久之　容百八十

澡豆　澡百八十一

草墪　坐臥百八十八

𨯙	佐天	漁百九十四
耒鋖	佐岐	農百九十五
鏄	佐比都惠	同
欋	佐良比	同
材木		造百九十六
柃楑	散伊都遲	工百九十七
鍑	散賀利	金馬二百一
銚子	佐之奈閑	同
鈔鑼	沙布羅	同

酒槽　佐賀布祢　木器二百三

棬　佐須江　同

[illegible]　佐良介　瓦二百四

盤　佐良　同

盃盞　佐賀都木　同

酒　佐介　酒二百六

釃　佐介之太無　同

酒蟻　佐加岐散々　同

酒膏　佐賀阿布良　同

肴　佐賀奈　同
黄菜　佐波夜介　菜二百十一
大角豆　佐々介　豆二百十九
石榴　佐久呂　菓二百廿一
杭子　佐々久利　同
麥李　佐毛々　同
樲棗々　佐袮布止　同
核　佐袮　菓具二百廿二
鶡鶞　佐夜主末土里　羽名二百卅二

鷦鷯　佐々木　日
鷺　佐木　日
冠　佐加　毛冠　毛角　日　日体二百卅二
鳴　佐閇都流　日
犀　音西此間音在　毛名二百卅四
牡鹿　佐乎之加　日
猨　佐流　日
奴角　犀乃波全豆乃　毛体二百卅五
猿嘸　佐留保々　日

鮻　佐米　鱗二百卅六
鮏　佐介　同
棠螺子　佐左江　亀二百卌八
蠮螉　佐曽里　虫二百四十
鄉子　佐之　同
螫　佐須　虫体二百四十一
葛　佐木久佐　草二百四十二
沢蘭　佐八阿良ゝ木　同
薺苨　佐木久佐奈　同

藁本　佐々波曽良之　同

菝葜　佐留止里　同

松蘿　佐流乎加世　苔二百四十三

五味　佐袮加都良　葛二百四十五

篠　佐々　竹二百四十六

标　佐久木　木二百四十八

櫻　佐久良　同

鳥草樹　佐之夫乃紀　同

石楠草　佐久奈無佐　同

之

蝕　　天部星宿第一

霙雨　之久礼　同雲雨第二

霜　之毛　同風雪第三

島嶼　之万　地部山谷第四

慈石　之蛇久　同岩石第五

堊　之良豆知　同塵八

妙美井　之美豆　同水泉九

心神　　鬼神魅十六

醜女　志古女　曰鬼魅廿七

士　人男女十八

仍孫　親子孫廿七

前夫　之太手　曰夫妻廿九

舅　之宇止　曰

姑　之宇止女　曰

外姑　与婦之称夫之妾曰　曰

胡　之太久比　形頭面三十

舌　之多　曰鼻口三十二

鬚髯　之毛豆比毛　同　毛髮　卅三
尻　之利　同　身体　卅四
启片　之利無多　同
皺　之和　同　肌肉　卅八
肉　之〻　同
腠理　之〻和岐　同
欬嗽　之波不岐　同　病卅
諢誕　之多都　同
疝　之良太〻多　同

痔　之利乃夜万比　同

脱肛　之利以豆流夜万比　同

重下　之利於毛　同

淋病　之波由波利　同

臨瀝　之太天由波利　同

産後腹　之利波良　同

霍乱　之利与利久知与利
古久夜万比　同病字

浸淫瘡　心美佐宇　同瘡字一

瘤　之比祢　同

白瘢　之良波多　同

瘃　之毛久知　同

紙老鴟　師労之　術藝具四十五

鉦鼓　常古　音楽部雑鼓四十六

瑟　同琴四十七

箏　象乃古止　同

新羅琴　之良岐古止　同

笙　象乃布江　同管簫四十八

簧　之太　同

之

酒胡子　承和楽　酒浄子
新羅陵王　十天楽　紫諸懸
春庭楽　直大鳳　上元楽
庶人三臺　秦王破陣楽　拾翠楽
水調曲　秋風楽　志岐傳
新靺鞨　以上音曲四十九
史生　俗ニ音如賞　職名五十
鋳銭司　樹撒乃司　門官名五十一
貞観殿　承香殿　春興殿

神嘉殿　仁壽殿　昌福堂

承光堂　貞言院　勧学院

翔鸞樓　修式堂　朱雀院

居宅百卅六

蔀　之度美　門具百卅七

堦　之奈　居具百卅八

助枝　之毛知　墻具百卅九

閾　之岐美　門戸具百四十一

地道　志太々都美知　道路百四十二

四馬車　　車百四十六
指南車　　同
楄　之知　　同具百四十七
鞦　之利加岐　　同
驃馬　白鹿毛　　牛馬毛百四十九
銀鐐　之呂加不　　宝金百五十二
銀屑　銀模　銀乃須利久都　　同
錫　之路奈麻利　　同
珠　之良多麻　　玉類百五十三

白玉 日 日

硨磲 謝古 日

麝香 雀頭 香數百五十四

紫昊丹 招魂丹 四神丹

紫遊丹 紫雪丹 升麻膏

商陸膏 麝香膏 松脂膏

七氣丸 七疝丸 消飲丸

紫菀丸 昌蒲丸 鎮心丸

四神丸 升麻丸 麝香丸

消腮丸　支子丸　松脂丸
十水丸　腎気丸　神仙散
日月散　四時散　署預散
昌蒲散　蜀椒散　熨火散
小豆散　慈石散　七類散
小豆湯　茱萸湯　商陸散
消石散　十精散　茱百五十五
紙燭　之曽久　於百五十六
擣押　之路無　同具百五十七

緘　之ゝ良岐　布帛百五十九

紗　音射　布帛百六十

紳　腰帯百六十五

襪　之太ゝ久頭　履百六十七

絲鞋　之賀伊　同

舎利　調佛塔百六十九

檫　心乃波之良　同

食堂　伽具百七十

鐘樓　同

之

錫杖　　　　　　　　資具

注連　之利久倍奈波　祭百七十二

章断　之度古智　同

端出之縄　讀與注連同　同

粢餅　之度岐　同

朱砂　　　　圖百七十四

雌黄　之王　同

長刀　之路加祢都久利乃（奈加太遅）　征百七十五

笞　之毛度　刑百七十七

笏　俗云尺　服玩百七十八

麈尾　朱美　同

粉　之路岐毛乃　容百八十

絓絲　之今以度　蚕百八十六

承塵　屏百八十七

障子　同

床子　坐臥百八十八

茵　之土祢　同

清只　師乃波古　同

韀 之太久良 鞍韀百九十七

鞍 之保天 日

鞦 之利加岐 日

朱漆 膠百九十九

酒海 漆黒二百二

酒臺 志利依良 日

食床 木黒二百三

簁 之太美 竹二百五

醇 之良加須 酒二百六

醨　之流　同

粥　之流加由　漿二百七

醢　之々比之保　魚二百十二

粃　之比太尓卌　稲二百十五

獼猴桃　之良久知　菓二百廿一

椎子　之比　同

白瓜　之路宇利　蓏二百廿三

蕺　之布木　水菜二百廿七

羊蹄菜　之布久　一云之　野菜二百廿九

鷹白者　之良太賀　羽名二百卅一

鴾　之女　同

鵐　之止々　同

鷸　之木　同

鸕鷀　志万豆止利　同

獅子　毛名二百卅四

猩々　象嘗　同

羆　之久万　同

鮪　之比　鱗二百卅六

鮊　之呂乎　同

小鮄子　之太〻美　亀二百卅八

蜆貝　之〻美加比　同

玉蓋　之太〻美乃不太　亀体二百卅九

衣魚　之美　虫二百四十

蟣虱　之良美　同

紫菀　之乎迩　草二百四十二

藜蘆　之〻乃久比乃木　同

白蒿　之呂与毛木　同

茟草 之波 同

垣衣 之の布久佐 同

篠 之乃 竹二百四十六

長間笋 之乃女 竹具二百四十七

紫檀 木二百四十八

柳 之太里夜奈木 同

櫁 之岐美 同

椶櫚 種呂 同

莽草 之木美 同

菱　之毛止　木具二百四十九

蘖　之倍　日

之

須

昴星　須波流　天部星宿第一

砂　須奈古　地部岩石第二

洲　須　地涯崖第十一

魑魅　須太万　鬼鬼魅第十七

陶者　須恵毛乃豆久流　人工商二十

洟　須々波奈　形鼻口廿二

鬌　須々之呂　同毛髪廿三

髄　須祢　同身体廿四

筋力　須知　同

眇　須加女　同病　四十

双六　須久呂久　術雑藝　四十八

弄鈴　須々止利　同

相撲　須末比　同

双六采　双六乃佐以　同具　四十五

摺鼓　須利都々美　音楽　四十六

少納言　須奈伊毛乃万守之　職名　五十

少雑　須太山伊旅保止毛比　同

小吏　須奈佐官　日

次官　副　輔　弼　助　中少将　佐　典侍

貳　介　少領　扶　日

楠　須美木　居具百卅七

簀　日

水牛　牛馬百四十八

旋馬　須久礼太留牟万　日

水銀膏　薬百五十五

炭　須美　燈具五十七

炲煤　須々　同

襴衫　須曽三介乃古呂毛　衣服百六十二

禪　須万之毛能　同

漉　須久比度流　僧具百七十一

墨　須美　文百七十三

硯　須美須利　同

水滴　須美数理賀米　同

鈴　須々　服玩百七十八

假鬘　須恵　容飾百八十

食單　須古毛　厨百八十三

蘇枋　須方　染色百八十四

簾　須太礼　屏百八十七

簏　須利　行百八十九

鋤　須岐　農百九十五

榰桂　須介　造百九十六

墨斗　須美都保　工百九十七

縄墨　須美奈波　同

墨悠　須美佐之　同

炭釣　須美加岐　鍬二百

碮　須利宇數　木器二百三

竹　須里　竹二百卅

鮨　須之　魚二百十二

魚條　須波夜利　同

酢　須　塩梅二百十三

李子　須毛々　菓二百廿二

紫菩　須無紬里　水菜二百廿七

菫菜　須美礼　野菜二百廿九

鰕　須毛里　羽二百六
雀鷂　須々美多加　羽名二百廿三
雀　須々米　同々
巣　須久不　同体二百卅三
鱸　須々木　鱗二百卅六
小蛸魚　須留女　亀二百卅八
蠐螬　須久毛無之　虫二百四十
蟄　須古毛流　虫体二百四十一
天門冬　須末呂久佐　草二百四十二

石斛　須久奈ゝ比古乃久佐　口

菅　須介　口

蒼蕪　須之　口

忍冬　須比加豆良　口

蘇枋　須房　本草四十八

杉　日

勢

消石　　　　地部岩石第八

源渓　　　　同水泉九

瀬　　世　　同河海十

湍　　世　　同

精液　　　　形茎垂三十九

癬　　銭加佐　　同瘡四十一

意銭　　世述宇知　　術雑藝四十六

笙　　世宇乃布江　　音琴四十七

宣耀殿　清涼殿　栖鳳楼

栖霞楼　清和院　施薬院

霽景楼　已上居宅　居宅百卅六

青瑣　門戸具百四十一

閣　世岐度　道路具百四十三

青蓋車　車百四十六

脊梁　世都加賀偕世美祢　牛馬林百五十

銭　金百五十二

鎰　口

鎔　世迩乃波古毛能　日

淺香　青木香　梅檀

詹糖　香百五十四

千瘡膏　生髮膏　前胡丸

千金丸　赤耳散　石楠湯

青龍湯　薫薬　生薑煎　薬百五十五

接腰　腰百六十五

紙錢　勢迩加太　紙百七十二

鐵

青黛

軟障

樏

煎餅

生菓

荇

兄鷹

蹟　四足ノ死ヲ曰ヘ

卅星

勢字

文百七十三

蒿百七十四

屑百八十七

木黑二百三

飯二百八

菓二百十一

水菓二百廿七

羽名二百卅一

毛二百卅三

鯵　世比　鮭二百卅六

龍蹄子　勢　亀二百卅八

蝉　虫二百四十

楠橝　俗云善経　木二百四十八

曽

私　曽万　地部山谷弟四

塞　曽古　地林卄六

圍圃　曽乃布（曽の）　地田七

苑囿　同上　同

族昆弟　親戚父母卄四

陰頽　曽比　形病罒十

疽　同瘡罒十一

𦼮羅蜜古詠詩　音曲罒十九

崇親樓
副車
歴草
薫合香
桑皮丸
賊風膏
袖
僧坊
窣堵婆

曽閑久流万
曽保岐
俗云曽布岐
聰明散
蘇蜜煎
曽天

居宅百卅六
車百四十六
牛馬体百五十
香百五十四
走馬湯
菜百五十五
衣具百六十四
伽具百七十
口

征箭　曽夜　征百七十五
槽　音曹　鞍百九十一
樽　音尊　漆器二百二
酸　曽比　酒二百六
酥　曽　酥二百十
蕎麦　曽波牟岐　麦二百十七
鷰豆　曽比末女　豆二百十九
胡瓜　曽波宇利　菰二百廿三
鴗　曽比　羽名二百卅一

專　太宇女　同老幼十九

工匠　太久美　同工商二十

鍛冶　同

助　太須介乃保称　形筋骨卅五

膜　太奈之之　肌肉卅六

手子　太奈須恵　手足卅八

掌　太奈古之呂
（太奈曽古）　同

腕　太之無岐　同

職　多之良女　病四十

歐吐　太万比　日

癲　太布流　日

丹毒瘡　日瘡四十上

射韝　太末岐　術藝部射四十三

弾碁　術雑藝四十四

弄丸　多末斗利　日

相扠　多加閉之　日

民部省　多美乃都加佐　職官名五十上

弾正臺　太々須豆加佐　日

大極殿　居宅百卅六

樓　太加止乃　同

館　太知　同

棚閣　多奈　同

榱　太流木　同具百卅七

間杁　太百木　同

栭　多〻利加太　同

壇　本音之濁　同

徑路　多〻知　道路百四十二

阡　多知之乃美知　口

艭　太加世　俗用高瀬舟　舟百四十四

舵　多伊之　口具百四十五

腰輿　古古之　車百四十六

髦　多知賀美　牛馬骵（体）百五十

脊瘡　多胡　口病百五十一

腹瘇　多知波礼　口

鷙　太利　口

斃　多布流　口

薫籠　多岐毛乃ゝ古　香百五十四

丹茶　太一三使丹　丹参膏

当帰膏　大ゝ黄膏　当帰丸

大黄丸　大棗ゝ湯　大豆湯

帯薬散　大黄湯　沢蘭丹

当帰湯　大棗ゝ丸　薬百五十五

炬火　太天阿加之　燈百五十六

松明　日具百五十七

薪　多岐ゝ　日

高布　多ゝ迹　布帛百六十

冕　玉乃冠　帽冠百六十上

襷褌　多須岐　衣具百六十四

瑇瑁　代味　腰具百六十六

単皮　多鼻　履百六十七

屩靳　加久波女　臼具百六十八

塔　調度佛具百六十九

屧　太布乃古之　臼

衲　古比　僧百七十上

玉籤　太万久之　祭百七十三

楯　太天　征百七十五

手巾　太乃古比　澡百八十一

弾弓　俗音弾宮　征百七十本

刀　太知　同

楪　太無　弓劍百七十六

欛　太知乃豆加　同

釼鞘　太知不久路　同

綏　音　服玩百七十八

盥　多良比　同

唾壷　同

籤　太々介乃久之　厨家百八十二

尺　太加波可利　裁百八十三

蓼藍　多天阿井　染百八十四

機　多加波多　織百八十五

絡垜　多々理　蚕百八十六

縛壁　多都古毛　屏百八十七

毯　坐百八十八

覃　　　　曰
疊　太ゝ美　曰
鞲　太加大江岐　麈百九十二
耒箭　太利加太　農百九十五
鐇　多都岐　工百十七
鍜冶　段野　鍛二百
踏鞴　太ゝ良　曰
鐼　太加祢　曰
盥　太良比　漆二百二

醰酒　多無佐介　酒二百六
大檗　漆黒二百二
醍醐　酥二百十
菌茸　多介　菜二百十一
蓼　多天　薑二百十四
橘皮　太知波奈乃加波　同
橘　太知波奈　菓二百廿一
瓞瓝　多知布宇里　蓏二百廿三
辛芥　多加奈　園菜二百廿八

菌　太加　野菜二百廿九

鷙鳥　多豆　羽族二百卅

鶴　多豆　同名二百卅一

鷹　太加　〃

鷄鳥　多土利　〃

巧婦　太久美止里　〃

鸍　多加閇　〃

狸　太奴木　毛名二百卅五

龍　太都　鱗二百卅六

鯛　太比　同

鱅　太古之　同

田中螺　太都比　亀二百卅八

海蛸子　太古　同

蜹　太仁　虫二百四十

蒲公　古名　草二百四十三

牛扁　太知末於久佐　同

竹　多計　竹二百四十六

箏　太加無奈　竹具二百四十七

籜　竹乃宇波加波　同
筦　竹のかは　同
石檀　太々無乃木　木二下四十八
女貞　太々美の木　同
桜　太良　同

知

長石　　　地部岩石第五
塵埃　知利　日塵土第八
嫡母　知於毛　人男女十八
赤子　知子　日老幼十九
父　知ゝ　親父母廿四
阿耶　知ゝ　日
乳　知　形身体卅四
血脉　知之美知　日肌肉卅六

血　知　日

近目　知加米　日扁罕

唾血　知波久　日

重舌　日

痔　知乃夜万比　日

⿸疒帶　知久曽　日

丁瘡　日瘡罕一

乳癰　知布　日

癮胗　知々保無　知々波久留　日

主税寮　知加良乃豆加佐　職官名五十一
内監　加比佐利良波　同
朝堂　朝集堂　中和院　居宅百卅六
馳道　道路弟百四十二
巻　知未多　同
邅邏　知毛里　同具百四十七
乳牛　知宇之　牛馬百四十八
肺病　知阿奈岐　同病百五十一
鍮石　中尺　宝玉百五十三

沈香　丁子　香百五十四

枕中丹　長髪膏　駐車丸

竹皮湯　地黄煎　薬百五十五

帼　知岐利加宇不利　装冠百六十一

釈　知比佐岐毛乃　衣服具百六十四

襅　知波夜　日

軸　帙　文百七十三

縢　知岐利　織百八十五

帳　屏百八十七

鎮子　陳之　鞍百九十一

茶茗　　漿水二百七

稯　知万岐　飯二百八

苣　知散　園菜二百廿八

螭龍　知　鱗二百卅六

海鯽　知沼　〃

鱅　知々加布里　〃

小蛸魚　知比佐木大古　龜二百卅八

敗醬　知女久佐　草二百四十三

紫参　知々乃波久佐　日

茅　智　日

石衣　知比佐木古介　苔二百四十三

班竹　遅久　竹二百四十六

都

月　　　　　天部星宿第一
飆風　豆無之加世　風雷部第三
露　豆由　同
土塊　豆知久礼　地部塵土第八
陂隄　豆々三　河海第十
奴僕　豆布祢　人倫部微賤廿三
唾　豆波岐　鼻口卅二
輔車　ツラカマチ　〃〃

容作児　豆久乃比々止　人工高二十
頬　豆良　頰骨　顴　豆良保祢　頭面三十
踝　豆不奈岐　俗豆布々之　手足類卅八
爪甲　豆女乃古布　同
爪　豆女　同
玉門　通鼻　茎垂二十九
唲吐　豆太美　病類四十
頭風　同
擇食　豆波利　同

代指　豆万波良米　同䗶 四十一

投壺　豆保宇知　一豆保奈介　雑藝 四十四

鼓　都々美　音楽部鐘鼓 四十六

抱　豆々美乃波知　音鐘 四十六

鞄　豆保　同管簫 四十八

兵部省　都波毛乃々都加佐　官名 五十一

兵庫寮　豆波毛乃々久良乃官　同

庫　豆波毛乃久良　居処部居宅 百卅六

邸家　津屋　同

疏瓦　都々美加波良　居宅具百卅七

束柱　豆加波之良　同

柱礎　都美以之　同

牏　都以比尓伊太　同

築墻　都以加波　豆以比知　墻壁百卅八

津　豆　道路百四十二

十字　同

土橋　豆尓波之　同具百四十三

船　都具能布袮　舟部船類百四十四

舴艋　豆利布祢　冂
牽紋　豆奈天　冂
乗泥　都知波良祢　車具百四十七
赦白馬　鴾毛　牛馬毛百四十九
廻毛　都無之　牛馬体百五十
蹄𨃠　豆万以利　同病百五十二
通明丸　菓百五十五
調布　豆岐乃沒能　帛布百六十
頭巾　装冠百六十一

角弓　都能由美　征戦具百七十七

屬鏤　豆流岐　同

擣衣杵　都知　裁縫具百八十三

橡　都流波美　染色具百八十四

木藍　都波岐阿井　同

鴨頭草　都岐久佐　同

錫　都美　蚕糸具百八十六

紡　豆無久　同

柘　都美　同

墳墓　豆加　葬送具百九十

釣　都利　漁釣具百九十四

壷　都保　漆器類二百二

杌　都久恵　木器類二百二

坩　都保　瓦器二百四

鑵　都流閉　同

甑　都岐乃波之　同

酹酒　豆久利加倍世流佐介　飯食部酒醴二百六

漿　豆久利美豆　水漿二百七

見出し	読み	出典
䭔子	都以之	飲餅二百八
炰	豆々三夜木	奥島二百十二
頭脳		同
李桃	都波木毛	菓花都菓部二百廿一
鹿角菜	豆乃万太	海菜部二百廿六
江浦草	豆久毛	同
拳尾	都流比	羽族名二百卅一
鶴	豆流	同
鷂	都布利	同

木兎　都久　同

鶇鳥　豆久美　同

鷰　豆波久良米　同

鴾　豆木　同

雀鷂　豆美　同

淋滲　豆ゝ介　羽族体二百卅二

翼　都波佐　同

遊牝　豆流比　毛群部　毛群類　二百卅三

𪕬䶑　豆良祢古　同名二百卅四

角　豆乃　同体二百卅五
觝　豆木之良比　同
觝　同　同
甲　豆木　同
鶫　都久良　鱗介部龍魚類二百卅八
腴　豆知須里　同体二百廿七
甲羸子　豆比　亀貝二百卅八
角蓋　都比乃不太　同体二百卅九
蜚蠊　豆乃無之　虫ノ象二百四十

黒蝦蟇　豆知加閑流　同

秦艽　都加里久佐　草木部草類言字十二

及已　豆木祢久佐　同

積雪草　豆保久佐　同

玉孫　豆知波利　同

杜蘅　豆不祢久佐　同

白英　豆久美乃保比祢　同

王孫　豆知波利　同

葸苡　豆之太万　同

絡石　豆太　蔓根言四十五

黄楊　　本根言四十八

柘　豆美　〃

槻　豆木乃木　〃

椿　豆波木　〃

天

貞観殿　亭子院　居宅百卅六

唐家　同

天井　殿掌　日具百卅七

腡　天乃阿夜　形手足卅八

輦　天久留万　車百四十六

亭歷丸　定志散　定志丸　薬百五十四

白緜布　天都久利乃沼乃　布帛百六十

天冠　俗説云天和　装冠百六十一
牒　文百七十二
矛　天保古　征百七十五
杈　天加之　刑百七十七
囘　天ゝ礼　畋百九十三
釿　天平乃　工百九十七
黏腑　飯二百八
劉木　天良豆ゝ木　羽名二百卅一
貂　天　毛名二百卅四

蝶

虫二百四十

登

桃花石　道卦尺　地部岩石第五

土公　鬼神第十六

員　度之　人倫部十九

囚人　止良倍比止　同乞盗廿三

高祖父母　止保豆於夜　親父母廿四

高祖姑　同

省目　度利女　形體四十

疫　度岐乃介　同

遠射　止保奈也　術藝部射　四十三

照射　止毛之　〃

鞆　止毛　〃射具　四十三

鬪鷄　止利阿波世　〃

銅鈸子　　音樂　四十六

鴟尾琴　止比乃乎乃古止　〃琴　四十七

團乱旋　　〃曲　四十九

遠射　止保乃会々　衛藝弘射呈

照射　止毛之　ロ

戦　止毛　ロ群具呈三

翻鶪　止判両汰世　ロ

銅鈸子　止此乃平乃古止　ロ琴呈七

鵄尾琴　ロ曲呈九

圏乱旋　止乃毛里乃豆加伎　職官令呈一

主殿寮　止乃毛里乃豆加佐　職官部　五十一

殿　止乃　居宅部　卅六

登華殿　洞清楼　同

枓　斗賀太　同具百卅七

鶏栖　鳥居　同門戸百四十

戸　同

扉　止比良　同具百四十二

樞　止保曽　止青良　同

楣　度那美　同

扃　度佐之　同

鐶鈕　斗乃比岐天　同

戸鏁 戸乃惜木 同
鑰匙 戸乃加岐 同
閾 戸之岐美 同
泊 度末利 道路部 四十二
艫 度毛 舟具
苫 度万 同
纜 度毛都奈 同
鞆 度古之波利 車部 四十七
駿馬 土岐宇万 牛馬部 四十八

都梁香　兜納香　兜末香
香百五十四

桃人丸　度世丸　豆楮散
薬百五十五

禿雞散

燈燭　度毛師比
燈百五十六

烽燧　度布比
同

燈心　度宇之美
同具百五十七

燈籠　燈檠　燈盞
同器百

兒燭　止加千
布錦百五十九

同黄　　　　嵩百七十四
斗　度　　　拾百七廿九
斗概　度加岐　日
幌　止波利　羅百八十七
斗　斗張　日
鳥羅　度利阿美　畋百九十三
烏籠　度利古
耒樣　華利久比　農百九十五
木賊　度久佐　膠百九十九

砺　　　　　　　　蝦二百

杼　止知　　　　　菓二百廿一

薢　土古呂　　　　草二百廿四

鶏冠菜　土里佐加乃里　海菜二百廿六

多會日　土里　　　羽二百卌

鴟　土比　　　　　日名二百卌一

鶺鴒　土豆示乎之閇止里　日

倍罗麼　多之和岐乃多乃今　日体二百卌二

腕脛　多乃和太　　日

塒　止久良　冂

虎　止良　毛名二百卅四

鰩　止比乎　鱗二百卅六

蜓蝘　止加介　虫二百卌

瞿麦　止古奈豆　草二百卌二

外麻　止里乃阿之久佐　冂

石檀　止祢利古乃木　木二百卌八

石楠草　止比良乃木　冂

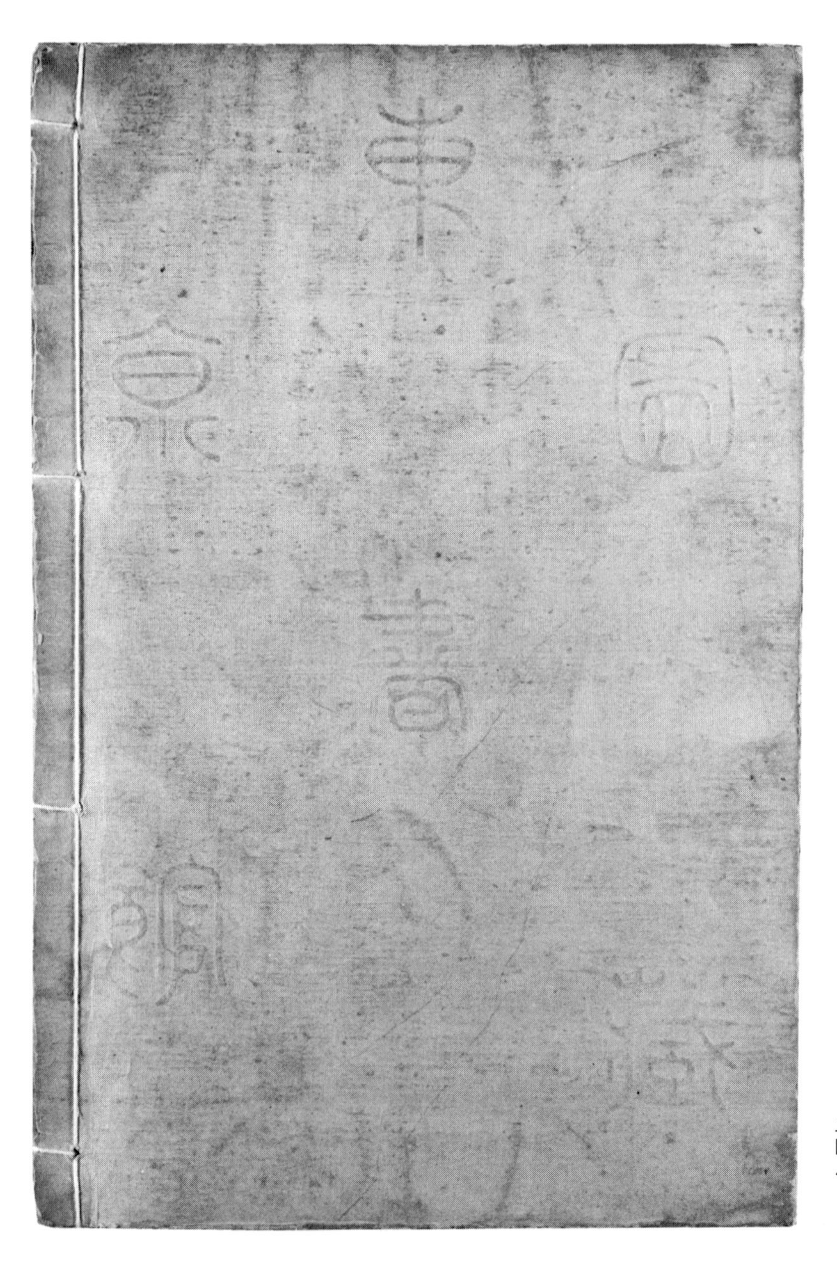

和名抄類字　下

群書搜索目録
和名抄類字
下
東京圖書館
門
類
函　一二
架　四
號　九五一一四
冊　二
不許帶出
112
95
41

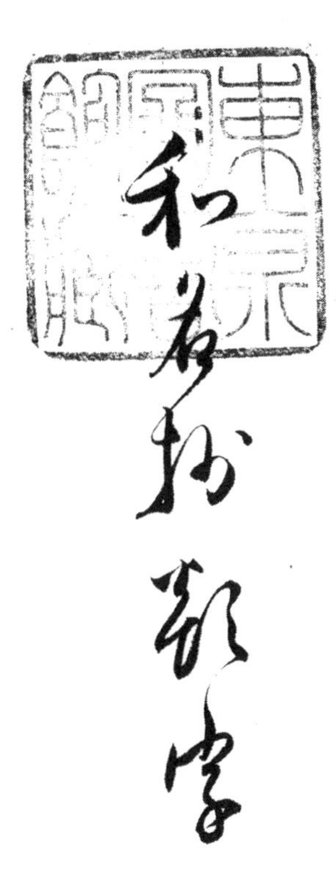

二

和名抄類字巻ノ二

奈

霖　奈加阿女　天部雲雨第二

暖　奈波天　地田七

水波　奈三　地水泉第九

渚　奈木左　地涯岸十一

夏　三夏附（本ノマヽ）　歳時夏十三

雷公　奈流加美　鬼神類十六

朒　奈豆岐　形體西卌

淨涙　奈美太　同耳目卅一

美泣　奈美太々利　同

中指　奈加乃於与比　同手足卅八

無名指　奈々之乃指　同

蹇　奈倍久　同病四十

白癩　奈女　同

長血　奈賀知　同

歷易　奈万豆波太　同

長笛　奈加布江　音管

中納言　奈加乃毛乃万宇須豆加佐　職名子十

中辨　奈加乃於保止毛比　同

中務省　奈加乃万豆利古止乃豆加佐　官名五十一

中宮職　奈加乃美夜乃豆加佐　同

照陽舎　奈之豆保　居宅百卅六

紫震殿　南天　同

長押　奈介之　日具百卅七

鉛　奈万利　金百五十二

襴衫　奈保之能古路毛　衣服百六十三

[illegible]脊　奈女　鞍馬百九十一

椢 奈由美 畂百九十三

農 奈利波比 農百九十五

縄 奈波 造百九十六

鏈 剗 奈良之 鍛二百

槃 音隊 中取 木器二百三

瓢 奈利比佐古 日

堝 奈閉 瓦二百四

鯰 奈万須 魚二百十二

罟 椒 奈可波之加美 薑二百十四

梨子　奈之　菓二百廿一
椋子　奈之　同
棗　奈豆女　同
茄子　奈須比　蓏二百廿三
沢写　奈万井　芋二百廿四
莫鳴菜　奈々里曽　海菜二百廿六
神馬藻　奈乃里曽　同
水葱　奈木　水菜二百廿七
薺　奈都那　野菜二百廿九

豹　奈賀豆一乃美　毛二百卅四

鯆　奈波佐波　鱗二百卅六

鯔　奈与之　同

鯰　奈万豆　同

鯉　奈万久佐之　龍魚体二百卅七

蚰蜒　奈女久知　虫二百卌

蚱蟬　奈波世美　同

夏虫　奈豆無之　同

原蚕　奈都古　同

瞿麦　奈天之古　草二百四十二

白頭公　奈加久佐　同

葈耳　奈毛美　同

荊　奈末江乃木　木二百四十八

楢　奈良　同

心　奈賀古可遅　木具二百四十九

迩

虹　迩之　天部雷雨第二

潦　迩波太豆美　同

人中　形鼻口卅二

痤　迩岐美　同瘡四十一

皶鼻　迩岐美波奈　同

西布司　尓之乃以知乃豆加佐　職官名五十一

乳牛楼　居宅百卅六

庭　迩波　同具百卅七

二車丸　人参丸　人参散　入軍丸

二皮湯　薬百五十五

庭燎　迩波比　燈百五十六

錦　迩之岐　布帛錦繍百五十九

如意　僧具百七十二

丹砂　迩　器百七十四

褥　迩久　座百八十八

膠　尓加波　膠百九十九

和炭　迩古須美　鍛二百

漿　迩於毛比　漿二百七

酪　迩宇能可遊　酥二百十

乳糜　同

葅　迩良木　菜二百十一

寒　迩古与春　魚二百十二

海藻　尓木　海菜二百廿六

鶺鴒　尓波久奈布利　羽名二百卅一

鸊鷉　迩保　同

毛穴　尓古計　同体二百卅二

齝　迩介加無　日
人魚　鱗二百卅六
鯢　仁倍　日
小辛螺　仁之　亀二百卅八
蚺蛇　仁之木倍美　虫二百四十
地膽　仁波無之　日
龍膽　迩加奈　草二百四十二
地膚　迩波久佐　日
菌茹　迩比万久佐　日

甘遂　　迩波曽又仁比曽　　日

朱櫻　　迩波佐久良　　木二百四十八

菌芋　　仁豆々之　　日

奴

沼　奴万　地河海十

偸児　奴須比止　人気盗卅三

极遙　奴加波　形鼻口卅二

髻　奴加ヽ美　同毛髪卅三

繡　沼無毛乃　布錦百五十九

布　沼能　同綵百六十

白布帯　沼能於比　腰帯百六十五

緯　沼岐　織百八十五

繼車　沼岐加不利　日

樓額　沼賀々岐　鞦百九十一

糠　沼賀　米二百十六

蘱　奴賀衣　麻二百二十

零陵子　沼加古　芋二百廿四

蓴　沼奈波　水菜二百廿七

鵼　沼江　羽名二百卅一

魦　沼多波香　毛体二百卅五

叩頭虫　沼加豆木無之　虫二百四十

芍菜　須美久須里　草二百四十二

王孫　須波利久佐　同

杓把　須美久須利　木二百四十八

檽　須夭　同

祢

懲　祢古止　形病四十

寝殿　祢夜　居宅百卅六

楣　鼠走　門戸具百四十一

騅　鼠毛　牛馬毛百四十九

錢　祢利　宝金百五十二

練　祢利岐江　布帛百五十九

念珠　佛具百七十五

澤蒜　祢比流　葷二百六十五

猫　祢古万　毛名二百卅四

鼠　祢豆ゝ　同

蔺茹　祢阿佐美　草二百四十二

合歓木　祢布里乃木　木二百四十八

梗　祢須ゝ毛知乃木　同

根株　上祢下久比世　木具二百四十九

乃

暴風　乃和木乃加世　天部風雪類第三

野　乃　地林第六

咽喉　乃無止　形體口第十二

吮　乃無止布江　同

肉刺　乃以須美　同瘡四十一

式部省　乃利乃豆加佐　官名第十一

擔　能岐　舩具百卅七

幡　能　布錦百五十九

衲　能不　伽百七十一

鰋　能古尓　征百七十五

熨斗　乃之　裁百八十三

鈄鏂　乃之加古乃久岐　造百九十六

鋸　能保岐利　工百九十七

鑿　能美　同

芒　乃木　稲二百十五

秳　乃古利之弥　同

野豆　乃良末女　豆二百十九

蘇 乃良衣 麻二百二十
鶙鷉? 乃世 羽名二百卅八?
[illegible]毥 乃良祢 毛名二百卅四
鯁 乃木 魚龍体二百卅七
蠹 乃牟之 虫二百卅
蚤 乃美 同
柴胡 乃世里 草二百卅二
白前 乃加々美 同
篦 乃 竹二百卅六

陵莒　農世利　木二百四十八

波

彗星　八ゝ木保　天部星宿第一

暴風　八夜知　同風雪第三

霾　八豆之毛　同

礬石　地部岩石第五

林　八也之　地林六

原　八良　同

畠　八大介　同田七

畮　八太介　同

⿰土逢⿰土思　逢思二音　同 塵八

土塊　波爾　同

濱　波万　地儀岸十一

春　三春名附　歳時春十二

半月　波尓和利　人男女十八

外祖父　母方乃於保知　親父母廿四

外祖母　同ノ於波　同

母　波々　同

阿⿰女虎　同　同

舅　母方乃乎知　同伯叔廿五

大舅　母方兄　小舅　母方弟　同

従母　母方乃乎波　同

従舅　母方乃於保乎遅　同

母兄　波良止豆乃古乃加美　同

母弟　同

鼻　波奈　鼻口部卅二

噫　波奈比流　同

齅　波奈久岐　同

鼻柱　波志波之良　〃

衄　波奈知　〃

擤　波奈加無　〃

齒　波　〃

齓　波加久　〃

腹　波良　身体卅四

齗　波之之　鼻口卅二

膚　波太倍　肌肉卅六

大腸　波良和大　形體府卅七

腑　波岐　同手足卅八
塞鼻　波奈比世　同病卅
歴瘍　波和加礼　同
齗齒　波賀美　同
齗　波井留　同
痮　波良不久流　同
疥癬　波太介　同瘡卅一
黒子　波々久曽　同
腫　波留　同

蹝血　波加利　術藝射四十二

博士　波加世　職名五十

隼人司　波夜比止乃豆加左　同官名五十一

廂　居宅百卅六

柱　波之良　同具百卅七

欄額　波之良沼岐　同

堦　波之　同

白土　同墻具百卅九

坊門　同門戸百四十

橋　波之　道具百四十三

游艇　波之布祢　船百四十四

舸　河夜布祢　冂

牛縻　波奈都良　車具百四十七

騂馬　波祢無万　牛馬百四十八

鼻梁　波奈美祢　冂体百五十

腹轉病　波良夜無　冂病百五十一

半熟　宝金百五十二

白芷　香百五十四

八石丹　白雪丹　白芷膏
柏葉散　破棺湯　敗醬散
白石湯　白解丸　礬石丸
崇百五十五
硬　波沽　炊具百五十七
帛　波之乃岐奴　帯縮百六十
帕額　装冠百六十一
半臂　此冑名知字　衣服百六十三
袴　八加万　口

白犀帯　波良万岐　腰百六十五
勒肚巾　同
鼻高履　履百六十七
宝幢　伽具百七十
幡　波太　同
跋折羅　波利波良飛　僧百七十一
白拂　同
鉢　波智　同
反故　文百七十二

膀　文百七十三

版位　同

白青　畐

幡　波太　征百七十五

旒　波太阿之　同

角　浪良乃布江　同

醫　波　腹玩百七十八

権衡〻　波加利乃於毛之　称百七十九

半石　同

白粉　波布迩　容百八十
黒歯　波久呂女　同
鉸刀　波佐美　同
匜　波迩佐布　漆百八十一
箸　波之　厨百八十二
柈　同
針　波利　裁百八十三
針管　波利豆々　同
黄櫨　波迩之　漆百八十四

箆　波ち吉　行百八十九
行纒　波々岐　日
埴輪　波迩和　華百九十
腹帯　波良於比　鞍百九十一
撲　波加　畋百九十三
掃墨　波伊須美　膠百九十九
鞶筆　波介　日
錢刀　波佐美　鍜二百
鉢　無和名以音為名　金器二百一

匜　半挿　漆器二百三
籠　波多古　竹二百五
箱　波古　同
篅　波々木　同
餺飥　飯二百八
薄荷　波加　薑二百十四
榛子　波之波美　菓二百廿一
蘩蔞　八久倍良　野菜二百廿九
鷂　波之太賀　羽名二百卅一

髃 八夜布佐 日

㕡蕩 波布久呂比 日 体二百卅二

羽 波 日

蘠 波布濡 一云波豆之 日

翮 八祢 日

鰚魚 波良可 鱗二百卅六

針魚 波利手 日

鱧 波無 日

魬魚 波里万知 日

鰕鱷魚　波之加美伊乎　同

鰣　波曽　同

鮠　波江　同

鰭　波た　龍魚体二百卅七

蚌蛤　波万久理　亀二百卅八

蝮　波美　虫二百四十

促織　波た於里米　同

螇蚸　波た波た　同

蝿虎　波倍度里　同

蜂　波志　同

蠅　波閉　同

胆　波閉乃古　同

飛行　波布　日体二百四十一

芭蕉　波勢乎波　草二百四十二

鹿嗚子　波木　同

薄　波太須々岐　同

蒺藜　波万比之　同

防風　波万須加奈　一云波万仁加奈　同

天名精　波未太加奈　一云波万不久良　同

續斷　波美　同

雲實　波未佐々介　同

秦艽　波加里久散　同

大青　波止久佐　同

貝母　波々久里　同

旋花　波夜比止久佐　同

芫花　波未仁礼　同

葶藶子　波未太加奈　一云波未世里　同

天戟　波夜比止久佐　同
菴蘆子　波々古　同
藕　波知須乃波比　蓮二百四十四
茄　波知須乃久木　同
朱櫻　波々加　木二百四十八
柞　波々曽　同
杜仲　波比末由美　同
蔓荊　波末波比　同
葉　波　同具二百四十九

花　日

葩　波奈比良　日

蕚　波奈布佐　日

比

日　　　　天部星宿第一

霈　比左女　雲雨部第二

雨氷　比布留　日

泥　比知利古　地塵土第八

氷　比　水泉水第九

旱魃　比天利乃加美　鬼神部第十六

太白神　比止比米久利　日

人　　　　人倫部第十八

姫　比米　同
裨販　比佐岐比止　工商二十
販婦　比佐伎女　同
人民　比止久佐　微賤十二
孫　比古　子孫卅七
曽孫　比々古　同
額　比太比　形体頭面三十
髑髏　比止加之良　同
眸　比止美　同耳目卅一

食指　比止佐之乃指　手足　卅八

臂　比知　同

膝　比佐　同

膝髕　比佐乃加波良　同

吉舌　比奈佐岐　茎垂　卅九

目翳　比　病　四十

痿痺　比留無夜末比　同

疼　比々良之　瘡　四十一

指子　百師　音楽鐘　四十六

琵琶　毘婆　同　琴瑟　四十七

篳篥　比千利岐　同

従八位下　比呂伊夜豆乃久良比乃之毛豆之奈　職名五十

右京職　比多利乃美佐止豆加佐　同

左馬寮　比多利乃牟万乃豆加佐　同

囚獄司　比止夜乃官　同

東市司　比牟加之乃以知乃官　同

助鋪　比太岐夜　居処部居宅百卅六

悲甲樓　白虎樓　同

拷風　　　　　　　同具百卅七

枅　比知岐　　　　同

蹄　比末　　　　　同

飛簷　比衣無　　　同

獨梁　比度豆波之　道路具百四十三

葱臺　比良岐波之良　同

艜　比良太　平田舟　舟百四十四

副車　比度古万比　車百四十六

長簷車　庇刺車　　同

飛車　　日

歸　比豆米　牛馬体百五十

護杵　日　日

火精　比止流太万　玉新百五十三

薫炉　比度　香案百五十四

百和香　日

備急丸　白虎湯　百部煎

飛雲散　菜百五十五

篝火　比乎加々利述須　柳百五十六

燧　比宇知　燈火具百五十七
火鑽　比岐利　同
火炉　比多岐　同具百五十八
火箸　比波之　同
屯　比度毛遅　布帛百六十
単衣　比止閉岐沼　衣服百六十三
紐子　比毛　同具百六十四
襞積　比多米　同
衿帯　比岐於比　腰帯百六十五

語	訓	出典
大珠	比散久加志	傳語具百六十九
金鼓	比良加祢	伽藍具百七十
蘿鬘	比加介加都良	祭祀具百七十二
偶人	比度加多	同
神籬	比保路岐	同
葉手	比良天	同
筆臺		文百七十三
乂	比之	征百七十五
獄	比度夜	刑罰具百七十七

屧繖　　　　服玩百七十八
蔽髮　比古飛　容飾具百八十
櫚墨糸　比岐万遊　黛百八十六
帟　比良波利　屏障具百八十七
棫斎　比　坐臥具百八十八
棺　比止岐　葬送具百九十
火輿　　　　口
篝　比之　漁釣具百九十四
檜楚　比曽　造作具百九十六

鑊子　比良賀奈倍　金器類二百一

櫃　比都　木器二百二

杓　比佐古　同

盆　比良加　瓦器二百四

氷将水　比　水漿二百七

糄粽　比女　同

鯷鱺　比知良　飯餅二百八

氷頭　比豆　魚肴二百十二

炒借火　比保之乃以手　同

醤　比之保　塩梅二百十三
蒜　比流豆木　薑蒜二百十四
粫米　比良之良介乃与祢　米穀二百十六
稗　比衣　同
枇杷　琵琶二音　世間云味杷　菓二百廿一
莧子　比之　蔬二百廿三
蒜　比流　葷菜二百廿五
獨子蒜　比止豆比流　同
昆布　比呂米　海菜二百廿六

鹿尾菜　比須木毛　同

莧　比由　野菜二百廿九

領　比米　羽族名二百卅一

鵯　比衣止里　同

雲雀　比波里　同

髀　比左礼　同体二百卅二

火鼠　比祢須三　毛羣名二百卅四

羊　比豆　同

蹄　比豆米　同体二百卅五

鯷魚　比師古以和之　龍魚名二百卅六

鰭　比礼　魚体二百卅七

茅蜩　比久良之　虫豸二百四十

蛾　比々流　同

蝱　同　同

水蛭　比流　同

蟾蜍　比木　同

蜏　比乎無之　同

細辛　比木乃比太比久佐　草類二百四十一

徐長卿　比女加々美　同
蛇床子　比流牟之呂　同
蘿　比加介　苔類書四十三
檜　比　本草二百四十八
蕪荑　比木佐久良　同
黄芩　比々良木　同
柃　比佐加木　同
楸　比佐木　同
女貞　比女都波木　同

白檀　日

蘗　比古波衣　木具二百四十九

布

麓　不毛止　地山谷第四

潭　布知　淵　同　同河海十

冬　歳時冬十五

岐神　布奈止乃加美　鬼神部十六

耆宿　布流於木奈　人倫部十九

舟子　布奈古　同

肺　布久不久之　形體府廿七

陰嚢　布久利　同茎垂卅九

苫船　布奈夜毛非　同 病 四十

附贅　布須倍　同 瘡 四十一

皺　布久流　同

競渡　布奈久良倍　術雜藝 四十七

鼗鼓　不利豆々美　音鐘 四十六

圖書寮　不美乃豆加左　職官名 五十一

校書殿　布美止乃　同

飛香舎　布知豆保　居宅苫 卅六

豊樂殿　豊樂

武德殿　同

舟艘　布祢　船部船百四十四
艤　不奈与曽比　同
舟笭　布奈度古　同具百四十五
蓬庳　布奈夜加太　同
枻　不奈太那　同
⿰糸加　布祢乃末　同
肁　布奈由　同
艕　布奈迩　同
⿰豖欠馬　布知無万　牛馬毛百四十九

糞門　　日体百五十

鷽　布久利都岐　日

附子膏　伏苓丸　不胄丸

伏苓散　伏苓湯　浮石散

衾　布須万　葉百五十四　衣服百六十三

深頭履　深履　履百六十七

筆　布美　文百七十三

笈　不美波古　日

書櫃　布美比都　同
書案　不美都久恵　同
簡札　不美太　同
戸籍　不美太　和名与簡札同　同
總　布散　服玩百七十八
囊　布久呂　行百八十九
繦衣　不知古呂毛　葬百九十
槽　舟　鞦百九十一
罘　布之都介　漁百九十四

柲 布流 工百九十七

韛 布岐加波 鞍二百

篩 布流比 竹二百五

着 布久之毛乃 酒二百六

餢飳 布止 飯二百八

粉熬 同

蜀椒 不佐波之加美 薑二百十四

大麦 布土無岐 麦二百十七

離々 布佐奈流 豆二百十九

冬桃　　菓二百廿一
冬葱　布由木　葷二百廿五
海蘿　布乃利　海菜二百廿六
蘇　布々木　園菜二百廿八
布穀鳥　布ゝ止利　羽名二百卅一
黒貂　布流木　毛名二百卅四
氄毛　布由介　日体二百卅五
鱶魚　布可　鱗二百卅六
鯸鰕　布久　又布久閉　日

鮒　布奈　同

蘭　布知波賀万　草二百四十二

牡丹　布加美久佐　同

蒲公　不知奈　同

飛廉草　布保々天久保　同

杜蘅　布大々末賀々之　同

石竜芮　布加豆々之　同

芙蕖　蓮二百四十四

藤　布知　葛二百四十五

節　布之　竹二百四十七

莭　布之　本具二百四十九

閑

陰核　篇乃古　形茎垂卅九

屁　倍比派　同

歐吐　倍止都久　同病四十

瘰疽　倍宇曽　同瘡四十一

屏　音餅　居宅墻百卅八

舳　閑　舟具百四十五

平内丸　壁土散　離離散　藥百五十

標帋　文百七十三

版位　変為　二音　日
軽粉　閉迩　容飾 百八十
綜　閉　織 百八十五
巻子　閉蘋　日
屛風　屛 百八十七
艀　閉麻岐　膺 百九十二
餝朕　飯 二百八
蛇　倍美　虫 二百四十
蛇蛻　倍美乃毛奴介　日体 二百四十一

椐　閑美　木二百四十八

保

星　保之　天部星宿第一
洞　保良　地部山谷第四
朴消　　同　岩石第五
方解石　　同
塹　保利木　地部河海十
乞索児　保加比比止　人部乞盗廿三
顔面　保々豆岐　形體頭面三十
頬　保々　同

膍臍　保曽　俗倍曽　日身体卅四
骨　保祢　日
小腸　保曽和太ゝ　形骸府卅七
弄槍　保古斗利　術雑藝四十四
方磬　奉強　音鐘四十六
玄蕃寮　保宇之万良比止乃豆加佐　職官名五十一
廓　保曽止乃　居宅百卅六
棖　保古多知　門戸具百四十一
帆　保　舟具百四十五

帆竿　保偈多　同
帆柱　保波之良　同
帆綱　保都奈　同
牡牛　保之万太良　牛馬毛百四十九
落星馬　保之豆岐乃宇万　同
防風丸　朴硝丸　芒消丸
防風散　蒲黄散　薬百五十五
火櫼　保久之　燈百五十六
野火　保曽介　同具百五十七

宝鐸　調佛百六十九

宝螺　僧百七十一

宝倉　保久良　祭百七十二

戦　保古　征百七十五

蒲葵扇　服玩百七十八

細櫛　保曽岐久之　容百八十

歩障　葬百九十

絆　保太之　鞍百九十一

程　保呂之　木器二百三

盥　保止岐　瓦二百四

糒　保之以比　飯二百八

脯　保之以乎　魚二百十二

雉脯　保之止利　日

乾薑　保之波之加美　薑二百十四

穂　保　稲二百十五

鹿脯　保之々　魚二百十二

蔕　保曽　菓具二百廿二

熟瓜　保曽知　苽二百廿三

鳳凰　豊皇　羽名二百卅一

鸊鷉鳥　保ゝ木須　同

嘷　保由　毛体二百卅五

鰾　保波良　魚龍体二百卅七

老海鼠　保夜　亀二百卅八

蟛蜞　彭其二音　同

蛍　保太流　虫豸二百四十

鳳蝶　保ゝ天布　同

半夏　保曽久美　草二百四十二

白英　保曽之　同

酸漿　保々豆木　同

百部　保止豆良　葛根二百四十五

蔓椒　保曽木　木二百四十八

厚朴　保々加之波乃木　同

重皮　保々乃加波　同

寄生　保夜　同

麻

纖砂　万左古　地部岩石十五

町　末知　地田十七

豆田　万女田　同

大夫　万須良乎　人男女十八

継父　万々知々　親父母廿四

三従父兄弟　万大伊止古　同兄弟廿六

眼　万奈古　形耳目卅一

眼皮　万比位　一云万奈古井　同

瞼 万奈不太 日

眶 万奈加布良 日

眦 万奈之利 日

眉 万由 日毛髮卅三

睫 万豆介 日

胯 万太 内身体卅四

屎 麻而良 日茎垂卅九

細射 万〻岐由美 術藝部射四十二

的 万斗 日射具四十三

司辂　万止万宇之　日

射騎　未市之　日

打毬　万利宇知　日雑藝四十四

蹴鞠　末利古　日

鞠　万利　日具四十五

莫牟　万久毛　音管四十八

判官。祐。丞。忠。進。允。佐。典膳。将監。

尉　掌侍。監。軍。掾。主政。

從。　皆万豆利古止比上　職名五十

雨下　万夜　居宅
坊　万知　同
廐　万之利古止乃　同
囷　倉廩　万呂久良　同
籬　末加岐　一云末世　同墻　百卅八
壁帯　末和多　同具　百卅九
牖　末度　同
窓　末止　同門戸　百卌
楣　万久作　同具　百卌上

楣　万久作　同

鳥牛　麻伊　牛馬毛百四十九

陰脉　麻良佐夜　同体百五十

玫瑰　枚廻二音　宝玉百五十三

万物丸　麻子湯　馬道湯　麻子膏

麻子散　麻黄湯　薬百五十五

紕　万与布　布帛百六十

雲冠　万比乃加之良　紫冠百六十一

縫掖　万都波之乃宇倍乃岐奴　衣服百六十三

鈇鉞　万佐加利　征百七十五
升　麻須　祢百七十九
黛　万由須美　容飾百八十
爼　末奈以太　厨百八十二
檝[illegible]　万祢岐　織百八十五
[illegible]　万由　蚕百八十六
幕　万久　屛百八十七
幔　万多良万久　日
枕　万久良　坐百八十八

秣　万久佐　鞍百九十一

曲尺　麻可利加祢　工百九十七

砥　末度　鍛二百

釜　末路賀奈倍　金器二百一

大豆麨　末女豆　麹工百九

糳米　万之良介乃与祢　米二百十六

小麦　末牟岐　麦二百十七

大豆　万米　豆二百十九

琪　万米加良　日

杉子	万豆乃美	菓二百二十一
班瓜	末古波宇利	蓏二百廿三
猱挺	万古	毛名二百卅四
鱒	万須	鱗二百卅六
石炎螺	万与和	亀二百卅八
馬蛤	万天	同
螳螂	末呂無之	虫二百四十
蠛	末久奈木	同
地膚	末木久佐	草百四十二

仙霊毗草　末良多分里久佐　同

苦参　末比里久佐　同

白蕬草　万多布里久佐　同

松蘿　万豆乃古介　苔二百四十三

松　万豆　木二百四十八

柀　万木　同

檀　万由三　同

陵苕　末加夜木　同

杈椏　末多布里　木具二百四十九

樹汁
松脂
茯苓

松乃之流　日
万豆夜迩　日
麻豆保止　日

美

霰 美曽礼 霙 同 天部風雪十三
嶽 美太介 地部山谷十四
峯 美祢 同
岬 三左木 同
湖 三都宇美 同河海十
溝 三曽 渠 同
汀 三左木 同涯岸十一
湊 三奈止 同

水神　美豆知　鬼神異十六

靈　美太〻万　一云美黎　同

魍魎　美豆波　鬼鬼魅十七

嬰兒　美止利古　人(幼)老十九

閹人　美加止毛利　同微(小)賤廿二

竊盗　美曽加奴須比止　同乞盗廿三

耳　美〻　形耳目卅一

耳墜　美〻太〻比　同

完骨　美〻勢〻乃保祢　同

耵　美々久曽　同
鬟　美豆良　同毛髪卅三
身　同身体卅四
三膲　美乃和太　同蔵府卅七
聾　美々之比　病卌
聤耳　美太利　同
牽道　美知久良閉　術雜藝卌四
宮内　美夜乃宇知乃都加佐　職官名五十一
右京職　美岐乃美佐止豆知佐　同

春宮坊　美古乃美夜乃豆加佐　日

諸陵寮　美佐々岐乃豆加佐　日

右馬寮　美岐乃牟万乃豆加佐　日

主膳監　美古乃美夜乃加之波天乃豆加佐　日

主殿署　美古乃美夜乃止乃毛里乃豆加左　日

階　美岐利　日具百卅七

水門　美止　日門戸百四十

水脉船　美乎比岐能布祢　舟類百四十四

騘馬　美太々良乎乃宇万　牛馬毛百四十九

耳筩　　牛馬体百五十
三封　　同
水銀　美豆加祢　宝金百五十二
汞粉　美豆加祢乃加須　同
鎮粉　美豆加氐乃介布利　同
水精　美豆止留太万　同玉百五十三
漉水嚢　美豆布流比　信百七十一
水瓶　美豆加米　同
幣　美天久良　祭百七十二

神酒　美和　同

瑞籬　美豆加岐　同

瑱　美ゝ不大岐　服玩百七十八

璫　美ゝ久佐利　同

衣架　美曽加介　坐卧百八十八

山陵　美佐ゝ岐　葬百九十

鐙靻　美都牟　鞍百九十一

羨鞚　美豆　美都ゝ岐　同

準縄　美豆波加利　造百九十六

瓱　美加　瓦二百四

箕　美　竹二百五

糫餅　万加利　飯二百八

蜜　美知　酥二百十

背腸　美奈和太　魚二百十二

未醤　美蘇　塩二百十三

糠　美之呂乃以祢　稲二百十五

葟子　美乃　麻二百二十

海松　美流　海菜二百廿六

茢　三豆布々木　水菜二百廿七

鵙鳩　美佐古　羽名二百卅一

木兎　美々都久　同

蒼鷺　美止佐木　同

蹼　美豆加木　同体二百卅二

猯　美　毛名二百卅四

蚊　美豆知　鱗二百卅六

鰠　美　同

河貝子　美奈　亀二百卅八

蚯蚓　美々豆　虫二百四十

木蜂　美加波知　同

蜜蜂　同　同

⿰虫曾　美加良　同

細辛　美良乃祢久佐　草二百四十二

白薇　美那之古久佐　同

蘼蕪　美乃波　同

三稜草　美久利　同

鼠尾草　美曽波木　同

接骨木

美夜都古木

木二百四十八

武

暴雨　無良左女　天部雲雨第一
牧　無万岐　地部牧第六
魔鬼　無須比乃加美　鬼神部鬼第十六
娘　無須女　人部男女第十八
漁翁　無良岐美　同漁獵第廿一
圉人　無万加比　同微賤第廿二
孫　無万古　親部子孫第廿七
離孫男　無万古平比　同

離孫女　無万古女比　日

歸孫　和名与離孫同　日

壻　無古　日婚姻廿八

私　与壻同　日

胷臆　無祢　形身体卅七

鳩尾骨　無奈保祢　日筋骨卅五

腎　無良止　日藏府卅六

哽咽　無須　日病四十

齵齒　無之加女波　日

絣梅　無亜於与尓　同

凝華善　牟信亜保　居宅百卌六

武德殿　牟万止乃　同

村　牟良　同

室　無呂　同

館　無知都美　同

厩　無万夜　同

棟　無祢　同

驛　無末夜　道路具百四十三

鞅　無奈加岐　車具百卅七

馬　無万　牛馬百卅八

食槽　宇万乃岐保祢　日休百五十

繈緥　無豆岐　衣服百六十三

紫草　無良佐岐　染百八十七

筵　無之呂　坐百八十八

行縢　無加波岐　行百八十九

當胷　無奈加岐　鞍百九十一

馬衣　無万岐沼　日

鞭　無知　同

椋葉　無久乃波　膠百九十九

衦麺杖　牟岐於須紀　木二百三

笊籬　無岐須久比　竹二百五

捻頭　無木加太　飯二百八

麺　無岐古　麹二百九

蒸　無之毛乃　菓二百十一

麦　牟岐　麦二百十七

稍　牟岐加良　同

麦奴　牟岐乃久呂美　同

椋子　无久　菓二百廿一

郁子　牟閉　菓二百廿三

紫菜　无良佐岐乃里　海菜二百廿六

肶　无ゝ木　羽族二百卅二

狢　无之奈　毛名二百卅四

鼯鼠　无佐ゝ比　同

猥　无久介以沼　同

鱣魚　无奈木　鱗二百卅六

蟲蝕　無之　虫二百四十

蜈蚣　無加天　同

馬蛭　無末比流　同

蠢動　無久女久　同体二百四十一

営実　無波良の実　草二百四十二

榁　無呂　木二百四十八

欒　無久礼迩々木　同

椋　無久　同

五茄　無古木　同

米

乳母　女乃於止　米乃止　人男女十八

童女　女乃和良信　日老幼十九

姪　米比　親兄弟廿六

女子　日子孫廿七

妻　米　一云米阿波須　日夫妻廿九

目　形耳目卅一

眵　米久曽　日

盲　米之比　日病四十

眩　女久流女久夜万比　日

明経院　明礼堂　明義堂　居宅百卌六

牝瓦　女加波良　日

馬道　米多字　道路百四十二

騂馬　米万　牛馬百四十八

馬脳　米奈字　宝玉百五十三

迷迭香　香百五十四

小蒜　米比流　葷二百廿五

蘘荷　米加　園菜二百廿八

雕　米止利　羽二百卅
牝　米牟毛乃　毛二百卅三
麞　米加　毛名二百卅四
蓍　女止　草二百四十二
蓍蔚　女波之木　同
桂　女加豆良　木二百四十八

毛

望月　毛知都岐　天部星宿第一

専　毛波良　人老幼第十九

百族　毛々夜加良　同上高　二十

前夫　毛止乃乎止古　親夫妻廿九

前妻　毛止豆女　同

髻　毛止々利　形毛髪　卅三

股　毛々　同手足　卅八

癲狂　毛乃久流比　同病　四十

皰瘡　裳瘡　同瘡四十一

攤　毛無　術雜藝四十四

主水司　毛比止里乃豆加佐　職官名五十一

文章院　文殊樓　居宅百卅六

木蘭膏　木蘭散　藥百五十五

烬　毛江之比　燈具百五十六

裙裳　毛　衣服百六十三

裨　毛乃之太乃太不佐伎　口

裳　伽百七十上

裳　日

髻　毛止由比　容百八十

剪刀　毛乃多知加太奈　截百八十二

旋子　毛度保利　鷹百九十二

黐　毛知　畋百九十三

鋏　毛遅　工百九十七

甕　毛太非　瓦二百四

盌　毛比　日

醪　毛呂美

醨　日　酒二百六

餅 毛知比 飯 二百八

穀 毛美 稲 二百十五

糙 毛美与祢 米 二百十六

胡頽子 毛呂奈利 菓 二百廿一

桃子 毛々 同

桃奴 毛々乃佐祢 菓具 二百廿二

桃胎 毛々乃夜迩 同

桃奴 毛々乃佐祢 同

藻 毛 一云毛波 海菜 二百卅六

水雲　毛豆久　同
鵙　毛受　羽名二百卅一
膝　毛乃波美　同体二百卅二
鼯鼠　毛美　毛名二百卅四
桃蠹　毛々乃牟之　虫二百四十
蛻　毛沼之　同体二百四十一
葎草　毛久良　草二百四十二
樅　毛美　木二百四十八
木瓜　毛介　同

羊躑躅　毛知ゝゝ之　日

木蘭　毛久良迩　日

紅葉　毛美知波　木具二百四十九

也

陽烏　夜太加良須　天部星宿第一
峡　山乃加比　地部山谷第四
陽起石　同岩石第五
藪　也不　林野第六
火田　也以八太　田園部第七
疁　同　同
山神　夜万乃加美　鬼神部神霊十六
地祇　夜之呂　同

鰥夫　夜無乎　人倫男女十八
寡　夜無女　同
奴僕　夜豆加礼　微賤廿二
夜発　夜保糸　人乞盗廿三
射乏　夜不世岐　術藝部四十三
山形　夜万加太　同
宇　夜加須　居宅百卅六
屋　夜　同
陽成院　同

櫓　夜久良　同

棧道　夜末乃加介知　道路百四十二

車　夜加太　車具百四十七

輻　夜　同

射干膏　菜百五十五

箙　夜奈久比　戦兵具百七十五

箭　夜　同

鏃　夜佐岐　夜之利　同

筈　夜波須　同

也

鳴箭　夜豆米加布良　円

龠　楽百七十九

楊枝　澡浴百八十一

串鍊　夜以久之　厨膳具百八十二

魚梁　夜奈　漁釣具百九十四

籍　夜奈須　日

鑪子　夜須利　鍛冶二百

糯米　夜木古米　麹蘖二百九

辛夷　夜末阿良々木　薑蒜二百十六

糯米　夜木古女　米 二百十六

橘子　夜末宗之　菓 二百二十二

楊梅　夜末毛々　同

鹿心柿　夜末加岐　同

山芋　夜末都伊比　芋 二百廿四

大薊　夜万阿比美　野菜 二百廿九

山鶏　夜万止利　羽族名 二百卅三

鳩　夜万八止　同

玃　夜万古　毛群名 二百卅四

海罽子　夜子　亀貝　二百卅八

蟒蛇　夜万加々智　虫部　二百卌三

麦门冬々　夜末須介　草　二百四十二

款冬々　夜末不々木　夜末不木　同

巴戟天　夜末比々良木　同

仙灵毗　夜末止利久佐　同

狼毒　夜末久佐　同

黄精　夜末恵見　同

防葵　夜末奈須比　同

黄耆　夜波良久佐　日
當帰　夜万世里　日
知母　夜万之　日
藜蘆　夜末宇波良　日
白蘞　夜末加々美　日
楊　夜奈木　木二百四十八
楡　夜仁礼　日
蜀漆　夜末宇豆木乃祢　日
寄生　夜止里木　日

也

八道行成　夜佐須賀利　術雜藝四十四

日本琴　夜万止古止　音樂琴四十七

由

弦月　由美八利　天部星宿第一
長庚　由不豆ゝ　同
雪　由木　同風雪第三
温泉　由　地部河海十
流黄　由乃阿波　俗由王　同
膀胱　由波利不久呂　形体府卅七
指　由比　同手足卅八
尿　由波利　同茎垂卅九

弽 由美加介 術藝射 四十三

鞦韆 由佐波利 同 雜藝 四十四

近衛府 兵衛府 衛門府 由介比乃豆加左 職官名 五十一

戽 由止利 舟具 百四十五

雄芝膏 雄黄丸 茶 百五十五

浴室 由夜 伽具 百七十

木綿 由布 祭 百七十二

弓 由美 征 百七十五

弣 由美波 同

弭　由美都加　同

靫　由岐　同

檠　由美太米　弓剣百七十六

弦　由美都流　同

弓帒　由美不久呂　同

弦帒　由美都流不久路　同

鐶　由比万岐　服玩百七十八

浴解　由布祢　澡百八十一

内衣　由加太比良　同

油単　由　厨百八十二

游堈　由賀　瓦二百四

茄　由天毛乃　菜二百十一

柚　由　菓二百廿一

[illegible]椵　由甘　日

土蜂　由須留波知　虫二百四十

百合　由利　草二百四十二

柞　由之　木二百四十八

與

流星　与八比保之　天部星宿第一

礜石　地部岩石第五

淀　与止美　同河海第十

婦　与女　親姻廿八

嫂婦　同

髀　与古之　形體府卅七

胭　与保呂　同手足卅八

津頤　与多利　同病四十

癰　日蔭四十一
横笛　与古布江　音曲四十八
寝殿　与止乃　居宅百卅六
囷 倉廩　与古之乃美知　道路百四十二
軸　与古加美　車百四十七
夜眼　与米　牛馬体百五十
桃朧散　菜百五十五
纰　与流　布帛百六十
甲　与呂比　征百七十五

柳　与粥波之良　鞍百九十一
斧　与岐　工百九十七
蘗　与祢乃毛夜之　麹二百九
鰕　与知乎佐之　魚二百十二
米　与祢　米二百十六
恠鴟　与多加　羽名二百卅一
喚子鳥　与不古止利　日
針魚　与呂豆　鱗二百卅六
蛣蟹　与奈無之　虫二百四十

白芷　与呂比久佐　草二百四十二

蓬　与毛木　口

雨節間　与　竹具二百四十六

良

未孫
馬埒
籃轝
駱駝
琅玕
藍漆膏
羅
欄

良知
音
良久太乃宇無
郎干二音
良

親子孫廿七
術射具四十三
車百四十六
牛馬百四十八
宝玉百五十二
菜 百五十五
布帛百五十九
衣具百六十四

標子

漆二百二

利

理石

輪鼓

臨海樓

龍脳香　流黄香

理中丸　龍骨丸　龍滑散

鯉魚湯　理中湯　離癧湯

龍骨湯

匳　俗輪

地部岩石第卆

術具四十五

居宅百卅六

香百五十四

菓百五十五

伽具百七十

林檎

利字古字

葉二百卅一

留

瑠璃

流離二音　俗留利

宝貨玉石部十三

礼
冷泉院　麗景殿
本ノマヽ
橉子　衣迩之
連銭騘
零陵香
蓮子膏
柃灰
連雀
蓮

居宅百卌六
門墻百卌九
牛馬毛百四十九
香百五十四
菓百五十五
漆百八十四
羽族二百卅一
蓮二百四十四

呂

六府　形範府三千七

瘻瘰　路　日瘡四千一

ろ射　術藝部射四千二

樓　呂　居宅百卅六

艣　路　舟具百四千五

鹿角散　菜百五十五

露宿九　燈百五千六

蠨蛸　調伊百六千九

露盤

緑青　禄肴　畓百七十四

轆轤　六路　造百九十六

錄　路久魯加奈　日

蝋　膠百九十九

緑蝶　虫二百四十

和

海神　和太豆美乃加美　鬼神類　十六

童　和良波　人倫部　十九

侲子　和良波倍　同

渉人　渡子　和太之毛利　一云和太利毛利　同微賤　廿二

腋　和岐　形身体　卅四

胡臭　和岐久曽　同病　四十

瘧病　和良波夜美　同

済　和太利　道路　百四十二

輪　和　車具百四十七

王粉丹　黄芩膏　黄連丸

黄耆丸　薬百五十五

緜絮　和太　布帛百六十

鈌掖　和岐阿介乃古路毛　衣服百六十三

屩　和良久豆　履百六十七

横被　伽百七十

蔓菁　和良不美天　文百七十三

機巧　和加豆和　織百八十五

篗　和久乃江　蚕百八十六
囗生（坐カ）　和良布太ゝ　虫百八十八
破子　和利古　行百八十九
黄菜　王佐以　菜二百十一
山葵　和佐比　薑二百十四
早稲　和勢　稲二百十五
薇蕨　和良比　野菜二百廿九
鰐　和仁　鱗二百卅六
蟠　和太加末流　虫体二百四十一

萱草　和須礼久佐　草二百四十七

葯醤　和太ゝ非　同

木天蓼　和太ゝ非　木二百四十八

井

井　為　地水泉第九
堰埭　井世木　河海十
田舎人　井奈加比止　人微賤廿二
臀　井佐良比　形身体卅四
韻応楽　葦波　音曲四十九
艘　為流　舟百四十四
織襪　井乃阿之　織百八十五
耒底　為佐利　農百九十五

耒胃 為佐利乃江 日

珂字豆 井知寸未女 豆二百十九

猪 井 毛名二百卅七

豚卵 為乃布久里 日体二百卅五

蝙蝫 為 亀二百卅八

豬魁 為乃止ゝ木 草二百四十二

牛膝 為乃久豆名 日

藺 為 日

恵

屠児　恵止利　人漁猟廿一

齶　恵久保　形體百卅

纓　燕尾　冠具百六十二

餌　恵　畋百九十三

醶　恵久之　菰二百廿三

犬　恵沼　毛名二百卌四

女葳蕤　恵美久佐　草二百四十三

猫尾草　恵沼古久佐　同

栬

恵雨須

木二百四十八

於

大風　於保加世　天風雪第三

浿渤　於保岐宇三　地河海第十

人神　於迷　鬼神異十六

鬼　於尓　同鬼魅十七

隠　於尓　伱之　同

瘧鬼　於尓　同

翁　於岐奈　人老幼十九

老公　同

古公　於岐奈比止　〃
老宿　〃　〃
老旧　〃　〃
古老　〃　〃
嫗　於無奈　〃
人民　於保太加良　人微賤 廿二
曽祖　於保於保知　親父母廿一
曽祖母　於保於波　〃
族父　於保於保知乎知　〃

祖父　於保知　日

祖母　於波　日

祖姑　於保於波　日

從祖父　於保乎知　日

弟　於止宇止　人伯叔廿五

娣婦　於止与女　人婚姻廿八

姒婦　於保与女　日

頷　於止加比　形頭面卅

臕　於比之波利　日身体卅也

指　於与比　同手足卅八

扐　於与比乃万吉　同

拇　於保於与比　同

瘖 瘂　於布之　同病四十

齵 齒　於曽波　同

[辶+重]　於曽阿志　同

[足+黽]　於毛波々久曽　同瘡四十一

豸也 射　於無毛乃以流　術藝部射四十三

柏 浮　於布須　同雜藝四十四

大鼓　於保豆ゝ美　音鐘　四十六

太政大臣　於保万豆利古止乃於保万豆岐美　職官職名　五十

左右大臣　於保伊万宇智岐美　門

大納言　於保伊毛乃万宇須豆加佐　門

参議　於保万豆利古止比止　門

大辨　於保伊於保止毛比　門

大外記　於保伊之流須豆加佐　門

大史　於保伊佐宇官　門

弩師　於保由美乃之　門

四階　於保伊与豆乃久良井乃加美豆之介　同

大政官　於保伊万豆利古止乃官　同官名不十一

大蔵省　於保久良乃豆加左　官名不十一

大膳職　於保加之波天乃豆加佐　同

大舎人寮　於保止祢利乃豆加佐　同

陰陽寮　於牟夜宇乃豆加左　同

大炊寮　於保為乃豆加佐　同

織部司　於里倍豆加佐　同

正親司　於保收無太々乃司　同

太宰府　於保美古止毛知乃司　同
傳送司　於毛止比止女宇知岐美　同
傳從　於毛止比止乃知岐美　同
軒檻　於波之万　居具百卅七
大路　於保美知　道路百四十六
輞　於保和　車具百四十七
駑馬　於曽岐宇万　牛馬百四十八
遠余湯　菓百五十五
煻煨　於岐比　燈百五十六

燐火　於迩比　日

綺　於利毛能　布錦百五十九

緌　於以加斗　冠具百六十二

大口袴　於保久知乃八賀万　衣服百六十三

衽　於保久比　口具百六十四

鞓　於比加波　腰百六十六

鐘　於保加祢　伽具百七十

燈明　於保美阿加之　日

弩　於保由美　征百七十五

鞲韄　於比度利　弓劔百七十六

玉佩　於無毛乃　服玩百七十八

苞苴　於保迩信　厨百八十二

鍇　於与比沼岐　裁百八十三

縿車　於保加　蚕百八十六

几　於之万都岐　坐臥百八十八

褻器　於保都保　同

簦　於保加佐　行百八十九

脪　於比不呂　同

榔　於保土古　葬百九十

龓頭　於毛都良　鞍百九十一

條　於保乎　鷹百九十二

嵐弩　於之　畋百九十三

粔籹　於古之古女　麹二百

晩稲　於久　稲二百十五

穭　於呂賀於比　同

大蒜　於保比流　菜二百廿五

薤　於保美良　同

於期菜　於保祢　海菜二百廿六
蔔　於保祢　園菜二百廿八
荼　於保都知　野　二百廿九
苜蓿　於保比　同
莽蒿　於八木　同
鵩　於保和之　羽名二百廿一
鷹大者　於保太加　大鷹　同
鸔鸔鳥　於須曽止利　同
鵪　於保止利　同

豺狼　於保加美　毛名 二百卅四
麋　於保之加　同
黿鼉　於保賀米　亀 二百卅八
白貝　於冨　同
鼇　於保豆米　亀体 二百卅九
螳螂　於保知加不久里　虫 二百四十
蟨虫　於安無之　同
蝗　於保祢無之　同
大蟻　於保阿里　同

黄精　於保恵美　草二百四十二

續断　於仁乃夜加良　同

當帰　於保世里　同

白頭公　於木奈久佐　同

葶藶子　於保美流久佐　同

大黄　於保之　同

虎掌　於保保曽美　同

車前子　於保波古　同

玄参　於之久佐　同

莪蒁　於保宇波　同

莨蓎子　於保美留久佐　同

貫衆　於迩和良比　同

莞　於保井　同

芎藭　於無奈加豆良　同

篠竹　於保多介　竹二百四十六

食茱萸　於保太良　木二百四十八

112
102
95

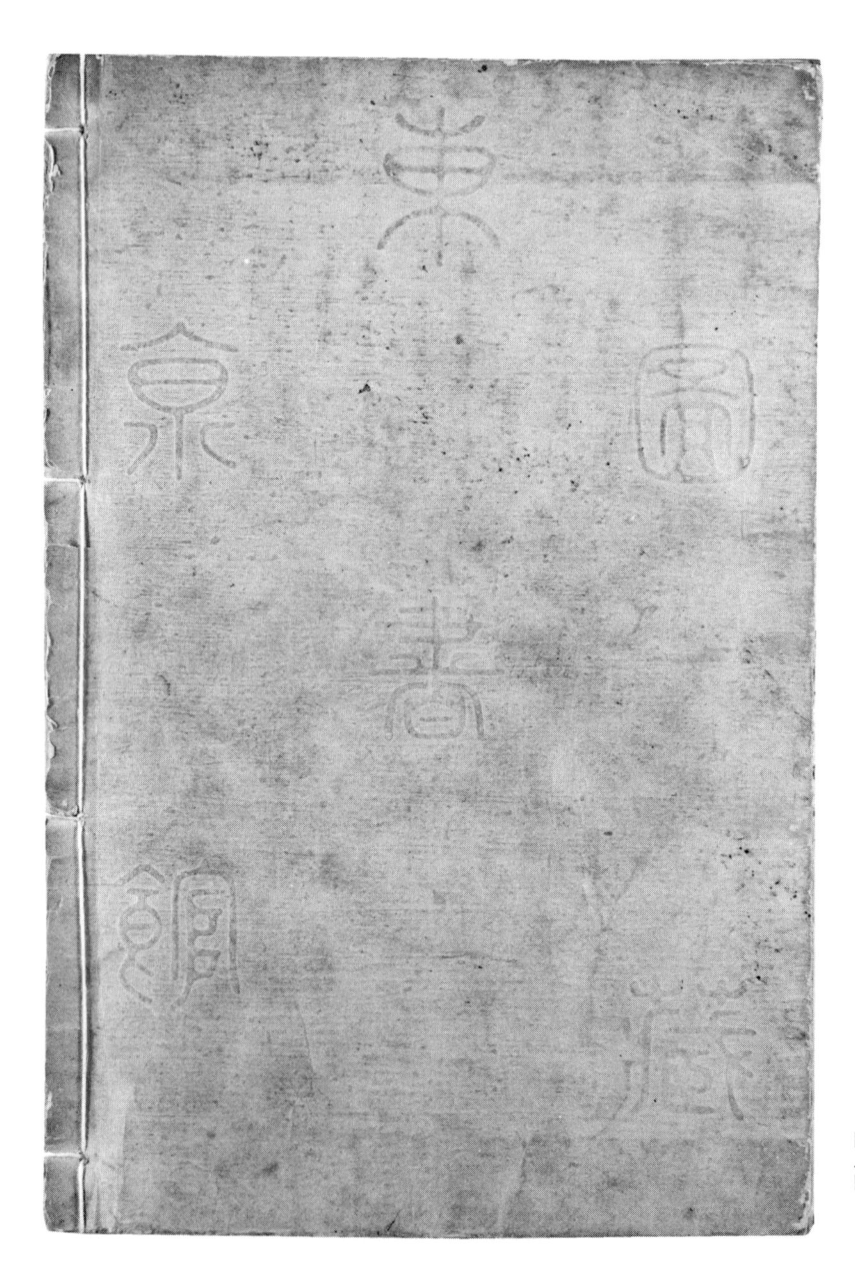

【監修・解題】

梅田　径（うめだ・けい）

1984年生まれ。2016年早稲田大学文学研究科日本語日本文学コース満期退学。現在、帝京大学文学部日本文化学科講師。博士（文学）。

〈単著〉『六条藤家歌学書の生成と伝流』（勉誠出版、2019年）。『翻刻　松屋外集　巻一』（オリンピア印刷、2023年）。『翻刻松屋外集　巻二』（オリンピア印刷、2024年）。

〈論文等〉「野田忠粛『夜夢想』翻刻と解題」（『古代中世文学論考』54、新典社、2024年）。「和歌初学者へのまなざし―院政期歌学の認識とその背景―」（『緑岡詞林』48、2024年３月）。「『野田の足穂』の翻刻と解題」（『汲古』83、2023年６月）。『日露戦争と軍人の風流―『風俗画報』「征露図会」特集号における「韜略の余事」をめぐって―』（『戦争と萬葉集』5、2023年３月）。「小山田与清の子息をめぐって―与叔と清年と蔵書の関係―」（『青山語文』53、2023年３月）。「小山田与清旧蔵書のゆくえ 附〈翻刻〉早稲田大学図書館蔵『明治四拾年六月調 高田氏寄託図書目録』（『緑岡詞林』46、2022年３月）。「秘伝の行く末―歌学秘伝における思想の伝播と権威のメカニクス」（『ユリイカ 詩と批評』52－15、青土社、2020年11月）。

書誌書目シリーズ126
『諸字類集成』
小山田与清『群書捜索目録』Ⅴ　第五巻

二〇二五年一月十七日　印刷
二〇二五年一月三十一日　発行

監修・解題　梅田　径
発行者　鈴木一行
発行所　株式会社ゆまに書房
〒一〇一－〇〇四七
東京都千代田区内神田二－七－六
電話〇三（五二九六）〇四九一（代表）
印刷　株式会社平河工業社
製本　東和製本株式会社
組版　有限会社ぷりんてぃあ第二

◆落丁・乱丁本はお取替致します。

本体18,000円＋税

ISBN978-4-8433-6898-5 C3300